dt

Diese Geschichten führen uns in das Damaskus der fünfziger Jahre, in dem Rafik Schami als Sohn eines Bäckers im Christenviertel aufwuchs. Es ist eine arme Gegend, in der es kein Kino und natürlich noch kein Fernsehen, sondern allenfalls Radio gibt. Man lebt von der Hand in den Mund und amüsiert sich, so gut es geht. Eine wichtige Rolle dabei spielt Onkel Salim, den wir schon aus anderen Büchern Rafik Schamis kennen, ein alter Mann, der ein bewegtes Leben hinter sich hat und unzählige phantastische Geschichten zu erzählen weiß. Aber der Bäckerjunge erlebt auch selbst einige Geschichten – zum Beispiel, wie er einen Süßwarenhandel anfängt und seinen Vater fürchterlich verärgert, weil er mehr verdient als dieser, oder wie er erste erotische Erfahrungen mit der hübschen Salma macht, deren Mann so gerne nach Aleppo fährt.

*Rafik Schami,* 1946 in Damaskus geboren, lebt seit 1971 in der Bundesrepublik. Verschiedene Arbeiten auf Baustellen und in Fabriken. Studium der Chemie mit Promotionsabschluß. Seit 1982 freier Schriftsteller. Lebt in Kirchheimbolanden. Werke u. a.: ›Das Schaf im Wolfspelz‹ (1982), ›Das letzte Wort der Wanderratte‹ (1984), ›Der erste Ritt durchs Nadelöhr‹ (1985), ›Eine Hand voller Sterne‹, ›Märchen aus Malula‹ (1987), ›Die Sehnsucht fährt schwarz‹ (1988), ›Erzähler der Nacht‹ (1989), ›Der Wunderkasten‹ (1990), ›Der Zauber der Zunge‹, ›Der fliegende Baum‹ (1991), ›Der ehrliche Lügner‹ (1992), ›Reise zwischen Nacht und Morgen‹ (1995).

Rafik Schami

# Der Fliegenmelker

Geschichten
aus Damaskus

Deutscher Taschenbuch Verlag

Von Rafik Schami
sind im Deutschen Taschenbuch Verlag erschienen:
Das letzte Wort der Wanderratte (10735)
Die Sehnsucht fährt schwarz (10842)
Der erste Ritt durchs Nadelöhr (10896)
Das Schaf im Wolfspelz (11026)
Märchen aus Malula (11219)
Erzähler der Nacht (11915)
Eine Hand voller Sterne (11973)
Der ehrliche Lügner (12203)



Juni 1989
5., vom Autor überarbeitete Auflage August 1994
7. Auflage Juli 1997
Deutscher Taschenbuch Verlag GmbH & Co. KG,
München

Erstveröffentlichung: Berlin 1985
Umschlagkonzept: Balk & Brumshagen
Umschlagbild: Root Leeb
Satz: IBV Satz- und Datentechnik, Berlin
Druck und Bindung: C. H. Beck'sche Buchdruckerei,
Nördlingen
Gedruckt auf säurefreiem, chlorfrei gebleichtem Papier
Printed in Germany · ISBN 3-423-11081-5

Meiner Mutter Hanne,
für ihren Mut

Inhalt

# Als Gott noch Großmutter war

Ich war als kleines Kind oft bei meinen Großeltern. Tage und Wochen verbrachte ich dort; es war angenehm, der überbevölkerten Enge der elterlichen Wohnung zu entfliehen und die unendliche, nach Thymian duftende Ruhe zu genießen.

Oft saßen wir, mein Großvater und ich, am Kamin, und er erzählte viel und dachte, ins knisternde Feuer starrend, nach, bis er mitten im Nachdenken einschlief. Nicht selten schlief auch ich kurz darauf ein, und wenn ich aufwachte, war er meist auch schon wach, lächelte verlegen und fragte, während er trockene Zweige bündelte und in den Kamin schob: »Wo bin ich in der Geschichte stehengeblieben?«

Großvater schien den ganzen Tag am Kamin gesessen zu haben, denn ich habe nur dieses Bild von ihm in meiner Erinnerung. Wenn es dunkel wurde, blieben wir im Dunkeln, bis Großmutter kam und einmal leicht an die Wand klopfte, dann wurde es hell. Wenn ich in der Dunkelheit Angst bekam, tröstete Großvater mich. »Bald kommt deine Oma und macht Licht. Das kann sie gut«, sagte er voller Bewunderung. Er konnte kein Licht machen, weder im Sommer noch im Winter.

Und wenn es uns im Sommer heiß wurde, so bat er Großmutter höflich, sie möge frischen Wind machen. Großmutter klopfte an die Wand, und ein alter Propeller an der Decke zauberte geräuschvoll eine frische Brise hervor. Großvater lehnte sich mit geschlossenen Augen zurück. »Göttlich«, flüsterte er genußvoll und schlief ein. Und ich erinnere mich sehr wohl daran, daß ich an einem windigen Morgen am Fenster stand und Großvater fragte, wer das Licht und den Wind draußen mache. »Gott«, antwortete Großvater, und da war ich sicher, Gott ist auch eine Großmutter.

Später studierte ich Chemie, Physik und Mathematik. Oft aber, wenn meine Finger einen Lichtschalter berühren, denke ich an meine Großmutter, und für einen kurzen Augenblick verfluche ich sämtliche Wissenschaften.

## Kebab ist Kultur

Etwa fünfhundert Meter von unserem Haus entfernt, dort wo unsere Gasse in die belebte Verkehrsstraße mündete, lag der Laden des Metzgers Mahmud. Sollte er je erfahren, daß ich ihn »Metzger« genannt habe, würde er wütend auf alle Heiligen schimpfen, die einen niederträchtigen Dummkopf, der ihn so herabsetzt, nicht gründlich bestrafen. Die anderen Metzger in unserer Gegend begnügen sich mit dieser nüchternen Berufsbezeichnung, nicht aber Mahmud.

Ein kleiner Schuppen diente ihm als Laden, aber es ist nicht übertrieben, wenn man ihn als den schönsten Laden von Damaskus bezeichnet. Über dem Eingang hing ein buntes Schild mit Mahmuds Namen und dem deutlichen Hinweis auf seinen einzigartigen Kebab. In dem länglichen Raum waren entlang der rechten Wand zwei Tische mit sechs Stühlen aufgestellt; gegenüber stand die lange Fleischerbank. Dazwischen war gerade genug Platz für einen schmalen Gang. Über Mahmuds Arbeitsplatz waren mehrere Regale aufgehängt, auf denen Gläser mit sauer eingelegten Gurken und Gemüsen, Gewürzgläser und Teller, Gläser und Tonkannen aufgestellt waren. Am Ende des schmalen Gangs stand ein prachtvoll geschmückter Kühlschrank. Seine Tür war über und über mit Blumen- und Palmenbildern beklebt. Ein Spruch in geschwungener Schrift gegen neidische Blicke war die Krönung dieses Schmucks: Des Neiders Auge soll erblinden! Der Kühlschrank war ein alter Kasten, der noch mit Eisblöcken gekühlt wurde, aber er war Mahmuds ganzer Stolz.

»Bei mir wird das Fleisch natürlich gekühlt! Diese neumodischen elektrischen Kühler zerfetzen das Fleisch, da kann man gleich gekochte Gurken fressen. Sie schmecken genauso, nämlich nach gar nichts«, pflegte er Kunden entgegenzuschmettern, die die Unverfrorenheit hatten, ihm von den neuen Tiefkühltruhen seiner Konkurrenten vorzuschwärmen.

Links neben der Eingangstür hing das frische Hammelfleisch, und unmittelbar daneben stand das stolze Stück, das Mahmud so erhaben über alle anderen Metzger machte, sein Grill. »Ich bin ein Kebabkünstler«, brüstete er sich, wenn ein Spaßvogel ihn aufziehen wollte und ihn nach seinem Beruf fragte. Wer fragt denn schon einen Bäkker mitten in seiner Bäckerei nach seinem Beruf!

»Ich bin der einzige Kebabkünstler, der seinen Kebab frisch und vor den Augen der Kunden vorbereitet. Die anderen nehmen irgendwelche Reste und überwürzen sie nur noch kräftig. Und so etwas servieren sie als Kebab! Das ist kein Kebab, das ist eine Beleidigung!«

Mahmud konnte stundenlang über seine Spezialität reden. Auch wenn die Nachbarschaft nicht oft bei ihm einkaufte, lobte sie seinen Kebab, dessen Rezept er niemandem verriet. Dafür verlangte er aber eine Lira mehr als die anderen Metzger. Er tadelte seine Nachbarn, die das Fleisch oft bei seinen Konkurrenten holten, »die mit ihren gottverdammten Maschinen die Seele des Fleisches zermalmen.« Mahmud hielt nichts vom elektrischen Fleischwolf, aber die Nachbarn sparten lieber einige Piaster und pfiffen dafür auf die Seele des Fleisches. Nur wenn sie vornehme Besucher hatten, kauften sie den begehrten Kebab von Mahmud. Die Zubereitung glich einer Zeremonie, einem Zauber eher als dem bloßen Hacken von Fleisch. Er entfernte jede Sehne, jedes Stückchen Haut, zeigte das Fleisch dem Kunden, der ehrfürchtig »sehr schön« ausrufen mußte, dann zerhackte er es, rollte es zusammen und stellte es zur Seite.

»Es muß sich etwas ausruhen«, sagte er bedeutungsvoll und fing an, Zwiebeln, Knoblauch und Petersilie zu hakken. Er mischte sie mit dem Fleisch, gab etwas Pfeffer und Salz dazu und holte aus einem Schrank unter der Fleischerbank eine schwarze Dose hervor, nahm daraus zwei Fingerspitzen einer rötlichen Mischung, streute sie über das

Fleisch und murmelte leise vor sich hin, als würde er eine Zauberformel für den Kebab sprechen. Woraus die Mischung in der Dose bestand, wußte niemand zu sagen. Manche vermuteten, daß er mit etwas Paprika einen Zauber vorschwindelte, andere wollten von ihm erfahren haben, daß die Dose eine geheimnisvolle Mischung aus Indien beinhalte, aber alle mußten zugeben, daß der Kebab bei Mahmud am besten schmeckte. Er höhnte über die anderen Fleischer, die, wenn es um ihre Mägen ging, bei ihm den Kebab kauften. Das war nicht übertrieben, oft genug habe ich den einen oder anderen Metzger bei ihm im Laden gesehen.

Mein Vater lobte ihn oft, er sei der beste Metzger der Welt, aber auch er kaufte das billigere Fleisch bei den anderen, es sei denn, wir bekamen Besuch, dann mahnte er meine Mutter, nicht auf die Lira, sondern auf die Anerkennung der Gäste zu achten.

Am späten Nachmittag schlossen die Metzger ihre Läden, aber nicht Mahmud. Er trank einen Schnaps nach dem anderen, polierte die Gläser und stellte sie auf die blanken Regale, spritzte Wasser vor den Laden, setzte sich auf einen Holzschemel und beobachtete die Passanten. Er war über fünfzig und Junggeselle, und immer wenn eine Frau oder ein junges Mädchen vorbeikam, lallte er ihnen Schmeicheleien zu, und sie kicherten über ihn und neckten ihn auch manchmal. Nur sein Nachbar, der Friseur Bulos, ärgerte sich immer über ihn, denn er war ein strenger Katholik, der nichts Flüssiges außer Leitungswasser zu sich nahm.

»Du bist doch kein Christ, wenn du keinen Wein trinkst. Euer Jesus ist ein prachtvoller Kerl. Hat er nicht gesagt, daß Wein des Menschen Herz erfrischt?« Das hat zwar David und nicht Jesus gesagt, aber es war die einzige Stelle in der Bibel, die Mahmud kannte, und er rieb sie seinem katholischen Nachbarn immer wieder unter die Nase. Ansonsten störte Mahmud keine Menschenseele, denn er war äußerst gutmütig.

Eines Tages kam es, wie es kommen mußte. Es war ein sonniger Mittag. Ich sollte Fleisch bei Mahmud holen, da meine Tante mit ihrem reichen Mann uns besuchen wollte. Sie war sehr hochnäsig und hatte nach einem Jahr Ehe ihre ärmliche Herkunft völlig vergessen. Meine Eltern genierten sich wegen unserer Armut und schienen der Tante immer beweisen zu wollen, wie gut es uns ging. Davon hatten jedoch die Tante und ihr schwachsinniger, gefräßiger Mann keine Ahnung. Sie bekamen an einem Tag soviel Fleisch vorgesetzt wie wir sonst in einer Woche nicht.

An jenem Tag also sollte ich ein ganzes Kilo Hammelbrust holen. Murrend schlenderte ich zu Mahmuds Laden. Schon von weitem sah ich ihn mit einigen auffällig gekleideten Touristen vor seinem Laden stehen. Die drei Männer sahen aus wie Schießbudenfiguren, so grellbunt waren sie angezogen. Jeder hatte eine Kamera um den Hals hängen, einer kaute auf einer dicken Zigarre herum, wie man es in irgendwelchen amerikanischen Gangsterfilmen sehen konnte, und die anderen beiden reizten mit ihren kurzen Bermudahosen jeden Vorübergehenden zum Lachen. Die Frau sah aus, als wäre sie in einen Farbtopf gefallen, so buntbemalt war sie im Gesicht, und um den Hals hatte sie eine Brille mit länglichen Gläsern hängen, die an der Seite und auf den Bügeln mit Straß besetzt war. In ihren Stökkelschuhen konnte sie kaum laufen und zog mit ihrem engen Rock die Blicke sämtlicher Männer auf sich.

Die Touristen fotografierten Mahmud, der an seine Ladentür gelehnt stand und breit lächelte. Dann winkte ihm einer der Männer, daß er sich zwischen die beiden anderen stellen sollte. Sie lachten, und die Frau knipste einige Male, als ich gerade den Laden erreichte. Sie schrie immer wieder »Oh, how wonderful, just wonderful« und zog das »Oh« so in die Länge, daß es sich anhörte, als würde jemand auf sie einhauen. Mahmud zupfte verlegen an seinem sauberen weißen Kittel. Nicht stolz, wie ich vermutet hatte, sondern unsicher schaute er auf die beiden Nachbarn, die in den Türen ihrer kleinen Geschäfte standen und sich über ihn lustig machten. Ich hörte den Friseur lästern: »Sie brauchen wohl sein Foto, um ihre Kinder zu erschrecken!«

Als der hagere, kleine Tourist die Frau wieder ablöste, wurde es Mahmud zuviel, er flüchtete in seinen Laden. Die Touristen lachten über den scheuen Mann und folgten ihm. Als ich gerade die Bestellung meiner Mutter aussprechen wollte, erklärte einer der Touristen Mahmud, daß sie vier Portionen Kebab wollten. Er verlor jede Scheu und rief laut: »Vier Portionen Kebab!«, als wollte er auch noch den Leuten der übernächsten Straße seine Freude mitteilen. Ich ärgerte mich, daß Mahmud mich einfach übergangen hatte, und rief noch einmal laut meine Bestellung. Da knurrte er mich an: »Du siehst doch, ich habe Kunden aus dem Ausland! Sie werden überall berichten, daß Mahmud der beste Kebabkünstler der Welt ist!«

Ich hätte am liebsten das Fleisch bei jemand anderem gekauft, aber meine Mutter hatte einen guten Blick dafür, sie hätte das sofort erkannt. So verfluchte ich meine Tante, derentwegen ich diese lästige Aufgabe aufgebrummt bekommen hatte, und wartete.

Mahmud gab sich besondere Mühe; er schwenkte seine Arme und schärfte das Messer, als müßte er ein Krokodil und nicht einen Hammel zerlegen. Stolz zeigte er das schöne Stück Fleisch, das er aus der Hammelhälfte herausgeschnitten hatte, der Frau, und sie rief: »Oh wonderful, isn't he cute?« Die Petersilie wusch Mahmud dreimal, was er sonst nie tat, dann entfernte er jedes gelbe Blättchen. Endlich war es soweit. Er holte seine schwarze Dose und rief seinen amüsierten Zuschauern zu: »Vary olt!«

»Oh wonderful! What is this?« säuselte die Frau.

»Sag ihr, das ist ein altes Geheimnis, das mir mein seliger Vater weitergegeben hat. Er hatte es von einem Koch des großen Maharadscha von Indien gelernt, sage ihr das!« befahl er mir, und ich übersetzte stotternd. Und wieder schrie sie in den höchsten Tönen: »Oh, how wonderful, it's just marvellous!«

»Die englische Sprache ist verdammt kurz. Hast du das

alles mit den zwei Wörtern gesagt?« fragte Mahmud mißtrauisch. Ich versicherte ihm, daß ich sogar erzählt habe, wie sein Vater auf dem Weg nach Indien sein Leben gefährdet hatte. Mahmud schien nicht so recht überzeugt zu sein.

»Zum Ausruhen!« sagte er zu mir, und ich brach mir fast die Zunge, um den Touristen zu erklären, warum das Hackfleisch sich ausruhen sollte. Mahmud wusch seine Hände und stellte vier kleine Teller mit Oliven und Erdnüssen auf den Tisch, und eine kleine Flasche Schnaps und einen Krug Wasser holte er auch noch aus dem Kühlschrank. Die Touristen griffen zu, und die Frau rief immer wieder: »Oh, wonderful!«, was Mahmud verunsicherte, denn Ful bedeutet auf Arabisch »Saubohnen«.

»Sage ihr, das sind keine Ful, sondern Erdnüsse aus dem Sudan!« sagte er irritiert.

Ich beruhigte ihn und übersetzte das Wort »wonderful«.

»Also doch, sie verstehen was vom Essen«, sprach er zu sich und fing an, die Spieße zu machen. Ich setzte mich nach draußen, um den Rauchwolken zu entgehen, die bald Mahmud und seine Kunden umhüllten.

Als die letzten Rauchschwaden abgezogen waren, schaute ich wieder zur Tür hinein. Die Touristen hatten die Oliven und Erdnüsse aufgegessen und auch den Schnaps und das Wasser getrunken. Einer der Touristen schwenkte die Kanne Mahmud entgegen, als dieser große flache Teller auf die Tische stellte. Schließlich legte Mahmud mit einer schwungvollen Geste die fertigen, wunderbar duftenden Spieße auf die Teller. Verschwitzt und zufrieden schaute er zu mir herüber.

»Nur noch eine Zigarette, dann gebe ich dir eine Hammelbrust, wie sie nicht einmal Napoleon gegessen hat.«

Ich nickte, verstand aber nicht, wie Mahmud auf Napoleon gekommen war.

Erwartungsvoll starrte er wieder die Touristen an, die ihm begreiflich machen wollten, wie zufrieden sie mit seiner Vorstellung gewesen waren. Die Frau jubelte immer wieder »wonderful« und »very good« und kramte laut schnatternd in ihrer Handtasche herum, dann verteilte sie kleine Plastiktütchen.

Mahmud wollte sich gerade eine Zigarette in den Mund stecken und hielt mitten in der Bewegung inne.

»Was ist das?« rief er entsetzt.

»Ketchup«, strahlten ihn die Leute an, als ob sie die besorgte Frage verstanden hätten, und drückten den roten Brei über die Kebabspieße.

Mahmud riß seine Arme in die Luft, schmiß die Zigarette quer durch den Raum und schrie: »Nein!!!«

Er packte einen Mann am Arm und ergriff die fleischigen Finger der Frau und schüttelte sie wütend, bis sie die Spieße auf den Teller fallen ließen.

»Was macht ihr mit meinem Kebab? Seid ihr wahnsinnig? Was wollt ihr mit dem Zeug?« schrie er die Touristen an, so daß sie vor Angst erblaßten.

Aufgeschreckt durch das Geschrei eilten die Nachbarn herbei und versuchten gleich zu vermitteln, nur der Friseur blieb vor der Tür stehen und schüttelte mißmutig den Kopf. Mahmud tobte:

»Meine ganze Mühe für die Katz'! Die ganze Arbeit, so eine Beleidigung! Raus! Raus mit euch! Sollen sie doch bei einem Kiosk das gebratene Zeug mit ihrem roten Kleber vollschmieren! Meinen Kebab aber nicht!«

Einer der Amerikaner zückte seinen Geldbeutel, und irgendein Nachbar versuchte zu übersetzen, daß der Mann die Vorspeise und die Getränke bezahlen wollte.

Mahmud aber keifte weiter:

»Geld? Von denen nehm' ich doch kein Geld! Diese Barbaren, meinen schönen Kebab so zu verschandeln! Das Geld können sie sich in ihren Hintern stecken, abhauen sollen sie.«

Er wollte sich auf die Touristen stürzen und sie aus seinem Laden werfen, aber die besorgten Nachbarn hielten ihn zurück. Schimpfend verließen die erschrockenen Gäste den Raum. Der Friseur stand draußen vor dem Laden und heuchelte laut: »So behandelt man doch zivilisierte Menschen nicht, was werden die jetzt über uns sagen?«

Mahmud stürzte wütend aus dem Laden.

»Zivilisiert sagst du? Sie sind bloß reich, aber von Kultur haben sie keine Ahnung. Sie wollten den Kebab mit Plastikbrei fressen!«

Der Friseur verschluckte seine Wut und zwang sich zur Ruhe. »Tja, andere Länder, andere Sitten!« sprach er mit pathetischer Stimme.

»Ja, Mann, aber das hier ist unser Land!« fauchte ihn Mahmud an.

Der Friseur sagte herablassend: »Was verstehst du schon!« und zog sich in seinen Laden zurück. Mahmud wandte sich endlich zu mir. »Komm mit«, meinte er mit traurigem Gesicht.

Diesen Wassersäufer, den laß ich nie wieder an meine Haare! schwor ich mir, als wir in den Laden gingen.

## Der Wald und das Streichholz

Onkel Salim ist mein Freund. Ich gehe gern zu dem alten Mann. Ihm kann ich immer alles erzählen, und er hört mir zu. Er ist siebzig Jahre alt, aber er versteht mich besser als meine Eltern. Für meinen Vater bin ich ein nutzloser Rotzlümmel, der in der Schule bloß eine Zuflucht vor der Arbeit sucht. Alle die vielen Namen der Flüsse und ihre Länge und die Jahreszahlen, die ich auswendig lernen muß, zählen für ihn nicht.

»Was sollen arme Schlucker in der Schule, die ist nur für die besseren Leute gemacht! Du solltest mir bei der Arbeit helfen«, winkt er ab, wenn ich ihm von den dreißig Synonymen des Wortes Löwe, die in der arabischen Sprache existieren sollen, erzähle.

Mahmud, mein Freund, muß jeden Morgen seinem Vater helfen, schwere Kartoffelsäcke tragen und Kartoffeln sortieren, die kleinen zum Kochen und die großen, teuren zum Braten. Eine bettelarme Bauernfamilie, die, wie viele, in der Stadt ihr Glück suchte, nachdem die Dürre sie von ihrem Hof vertrieben hatte. Jeden Tag schiebt Mahmuds Vater seinen Karren durch die Straßen und preist seine Kartoffeln an, um die neun nimmersatten Kinder zu ernähren.

Ich muß jeden Morgen ein paar Stunden in der Bäckerei meines Vaters arbeiten, bevor ich um acht Uhr in die Schule renne. Eine Hölle ist die Bäckerei! Ich hasse die Hitze und das Mehl, das am Kragen meinen Hals wie Sand scheuert. Nach der Schule muß ich, wenn mein Vater Pech hatte, die übriggebliebenen Brotfladen in einen kleinen Karren laden und sie bis zum Abend verkaufen.

»Fladenbrot ist am nächsten Tag knochenhart, und das kauft kein Hund mehr«, sagt mein Vater immer, und ich ziehe den Karren von Haus zu Haus und schreie: »Brotfladen, frisch und billig!«

Mit der Zeit habe ich eine feste Kundschaft gewonnen. Noch ärmere Teufel als wir, die sich über die paar ersparten Piaster freuen. Aber ich bin unzuverlässig. Ich lasse sie im Stich, wenn mein Vater Glück hat und die Brotfladen bis zum Nachmittag ausverkauft sind. Das beschämt mich, weil ich an solchen Tagen an die alten Frauen denken muß, die vergeblich auf der Türschwelle ihrer armseligen Hütten auf mich warten. Meinem Vater sind solche Gewissensbisse völlig fremd. Er freut sich über seinen Ausverkauf und trinkt an solchen Tagen ein Glas Schnaps mehr.

»Ich darf mich bloß nicht bei dem Alten blicken lassen, er findet schon eine Arbeit für mich«, sagt Mahmud immer, und er hat recht, denn auch mein Vater erfindet für mich jedesmal wieder etwas zu tun.

»Nimm den Besen und kehre die Bäckerei«, sagt er, wenn ihm nichts anderes einfällt, und die Bäckerei kann man unendlich oft kehren. Sie ist immer schmutzig. So verdrücken wir uns oft zum alten Salim, und wenn es wirklich brennt, wissen unsere Mütter schon, wo sie uns finden können. Wo denn sonst als in dem kleinen, verrauchten Zimmer!

Nur am Sonntag dürfen wir ungestört spielen. Vorher müssen wir jedoch in die Kirche. Eine lästige Pflicht! Der Pfarrer ruft uns zum Appell, prüft unsere Nägel und Ohren und ermahnt uns, am nächsten Sonntag besser geschrubbt zu erscheinen, denn wir riechen immer nach Öl und Knoblauch. Jeden Sonntag dasselbe Theater. Wir beneiden die muslimischen Kinder, die in dieser gottverdammten christlichen Schule vom Sonntagsgebet befreit sind. Vor der Messe werden wir durch den hinteren Eingang der Kirche zum Beichtstuhl geführt. Jeden Sonntag dasselbe, beim alten Pfarrer Markus. Er ist berühmt dafür, daß er alle Sünden verzeiht, auch eine zugegebene Onanie und sogar einen Fluch gegen Gott oder Christus. Nur bei der Beichte eines Fluchs gegen die heilige Maria kann er sich trotz der kirchlichen Würde nicht mehr beherrschen. Er stürzt aus dem Beichtstuhl heraus und prügelt auf den armen Sünder ein. Wir legen jeden Neuling herein, der wie wir herumsteht und nicht recht weiß, was er erzählen soll, wenn er an der Reihe ist.

»Am besten«, flüstern wir ihm hinterhältig zu, »sagst du einfach: Ich habe Gott, Christus und Maria verflucht. Ja, ich habe gesagt, Gott ist ein Zuhälter, und Maria trieb es mit vielen Männern hinter dem Rücken des gehörnten Joseph.« Viele Jungen aus den Dörfern haben solche markigen Schimpfwörter, wie sie in der Stadt zu hören sind, zum ersten Mal zu Ohren bekommen, und sie flüstern sie vor sich hin, und mancher fragt unsicher: »Wer hat Joseph betrogen, Gott oder Maria?« – »Maria, du Idiot«, herrschen wir dann den Neuling an, und er nähert sich dem Beichtstuhl und kniet unsicher hinter dem schwarzen Vorhang. Er flüstert ahnungslos wie ein Papagei seine auswendig gelernte Sünde nach. Pfarrer Markus zieht den extra dafür bereitstehenden Stock hervor und stürzt sich auf sein erschrockenes Opfer, das sich völlig überrascht am Vorhang festklammert und die Hiebe über sich ergehen läßt. Nach dieser Art von Taufe begnügt sich jeder mit »Äpfel klauen« oder dem »Neid auf die Reichen« und erhält durchschnittlich einmal ein Bußgebet und zweimal ein »Vaterunser«.

Wir pfeifen auf die Geheimnistuerei der Kirche und erzählen den muslimischen Kindern alles, genau wie sie uns von den neuesten Gaunereien des Scheiches Ali erzählen, der trinkt und die komischsten Freitagsreden hält.

Onkel Salim vergnügen unsere Erzählungen über die Kirche. Er geht seit über vierzig Jahren nicht mehr hin.

»Nur meine Leiche kriegen die Pfaffen zu sehen. Hölle und Paradies habe ich schon genug erlebt.« Und er hat wirklich viel erlebt, dieser kleine, alte Mann. Lange bevor die Autos den letzten Winkel in Arabien erobert hatten, fuhr er mit seiner Kutsche die Strecke zwischen Damaskus und Beirut. Für die damalige Zeit war das eine lange Fahrt. Viele Kutscher hatten Angst vor den Straßenräubern, die in den Bergen ihr Versteck hatten und die Fahrgäste überfielen. Nur wenige Kutscher konnten ungeschoren durchfahren. Onkel Salim war einer dieser wenigen.

»Also etwa in der Mitte der Strecke, da tauchte Hamad auf. Ein kräftiger Bursche; mit seinen bloßen Händen konnte er einen Löwen umbringen. Ich hatte Hamad erzogen, bis er zur osmanischen Armee eingezogen wurde. Er haßte den Krieg und haute von der Armee ab, und seitdem verdiente er sich sein Brot als Straßenräuber. Immer wenn ich sein Gebiet erreichte, rief ich laut ›Hamad, Hamad!‹, und er kam aus seinem Versteck. Ich sagte dann laut: Die verehrten Fahrgäste wollen dir ein paar Scheine spenden.‹ Hamad sammelte die Scheine von den zitternden Fahrgästen ein und sagte ungerührt zu ihnen: ›Nur weil ihr mit diesem Helden Salim fahrt, laß ich euch so leicht davonkommen, sonst hätte ich eure Leber ungebraten gegessen.‹ Die blassen Fahrgäste lächelten ängstlich und nickten dankbar. Ich ging dann hinter die Kutsche, wo sie mich nicht sehen konnten, und umarmte meinen Sohn Hamad, küßte seine Augen, gab ihm ein Bündel mit Käse und Oliven von meiner Frau und flehte ihn an, auf sich aufzupassen, denn die Armee suchte ihn.«

»Aber wie kann er denn dein Sohn sein? Der ist doch Muslim, und du bist Christ!« fragten wir routiniert, weil Onkel Salim immer gern diese Frage hörte.

»Muslim! Muslim! Was für ein Quatsch! Was lernt ihr denn in der Schule? Meine Frau und ich liebten diesen tapferen Jungen vom ersten Augenblick an, als wir ihn am Straßenrand fanden. Meine Frau hat Jahr für Jahr schwarze Oliven und Peperoni für ihn eingelegt, weil er die am liebsten mochte. Muslim? Er ist doch ein armer Teufel wie wir, und Teufel haben keine Religion.«

Onkel Salim erzählte viel von den Straßenräubern, die er alle kannte. Fuad, dem berühmtesten und gefürchtetsten unter den Räubern, schmetterte er, wenn dieser mit seiner großen Bande vor die Kutsche sprang, »Muß das sein?! Du erschreckst ja meine Maulesel« entgegen, und Fuad soll immer gelacht und seine Männer mit den Worten »Das ist doch Salim, der trinkfesteste Kutscher der Welt« in den Wald zurückgeschickt haben.

Ja, Onkel Salim erzählt und wiederholt seine Geschichten, aber daraus entstehen immer neue, lebendige Abenteuer. Manchmal verwechselt er Räuber mit Fahrgästen. Das stört uns aber überhaupt nicht. Nur einen verwechselt er nie, Hamad. Seinen Hamad. Er taucht immer wieder auf halber Strecke auf und kassiert auf der Hin- und Rückfahrt.

Eines haßt Onkel Salim wie die Pest, und das ist Streit, aber den gibt es in unserer Straße ständig. Ob wegen der Kinder oder der zerbrochenen Fensterscheiben, die Leute streiten, und Onkel Salim mischt sich nie ein.

Und wenn gerade mal kein Kind ein anderes haut oder mit dem Ball eine Fensterscheibe zu Bruch schießt, erinnert sich bestimmt einer, daß ein anderer seine Schulden noch nicht beglichen hat. Mir scheint es, daß alle Bewohner unserer Straße bei allen Schulden haben. Mein Vater zahlt die Melone vom letzten Dienstag noch nicht, obwohl der Gemüsehändler ihn schon zweimal daran erinnert hat. Der Gemüsehändler zahlt den Klempner noch nicht, der ihm vor Monaten einen Wasserhahn repariert hat. Der Klempner Anton zahlt seit Wochen seine Brote nicht und gilt bei meinem Vater als der größte Gauner mit dem kleinsten Gedächtnis. Aber alle kaufen und verkaufen. Niemals sind solche Streitigkeiten von größerer Bedeutung, sie gehören einfach zum Alltag. Keiner mischt sich ein, wenn zwei Männer wegen einer Schuld streiten, denn er könnte ja daran erinnert werden, daß er lieber seine eigenen Schulden zahlen sollte, als Weisheiten von sich zu geben. Wenn es aber ernste Streitereien gibt, stürzen die Nachbarn manchmal barfuß dazu, um zu schlichten. Als mein Vater seinen Bruder ohrfeigte, weil dieser ihn um 3000 Lira betrogen hatte, rannte Mahmuds Vater herbei und bat meinen Vater, doch ihn zu prügeln und den schmächtigen Onkel zu verschonen, er würde die 3000 Lira bezahlen. Natürlich wußte mein Vater genau, daß Mahmuds Vater nicht eine einzige Lira übrig hatte, aber dieser küßte ihn auf den Schnurrbart, und dies zählt bei arabischen Männern als die teuerste Ehre, jedenfalls teurer als die 3000 Lira.

Als Mahmuds Mutter, statt das angeschriebene Öl zu bezahlen, Kaffee und Kuchen kaufte, prügelte sie ihr Mann, und mein Vater eilte in seinem Pyjama dazu und hielt den Wütenden zurück. Als dieser seine heulende, dicke Frau auch noch »Hure« beschimpfte, zog mein Vater seine Augenbrauen hoch. »Das hätte ich von dir nicht erwartet«, ermahnte er seinen Freund, und dieser beruhigte sich und war beschämt, denn er hielt viel von meinem Vater. Er wußte nicht, daß mein Vater meine Mutter selber oft mit »Hure« beschimpfte, weil der so etwas leise macht.

Diese Art von Streitereien ließen Onkel Salim kalt. Nur einmal mischte er sich ein. Es war spät am Abend. Mahmud und ich saßen noch bei ihm im Zimmer, schlürften heißen Tee und hörten seinen Räubergeschichten zu. Plötzlich hörten wir den Gemüsehändler Elias mit Mahmuds Vater streiten. Dieser hätte mit seinem Karren vor dem Laden gehalten und seine Kartoffeln zu Schleuderpreisen verkauft.

»Die Kunden«, rief Elias erregt, »ließen meine schönen Kartoffeln in der Kiste liegen und rannten zu diesem lausigen Mohammedaner.« Das Geschrei wurde immer lauter, und als Mahmuds Vater zurück rief: »Nicht einmal dein Jesus kann mir verbieten, dort zu stehen, wo ich will. Es fehlt noch, daß ihr Christen die Straßen für euch beschlagnahmt!«, wurde Onkel Salim unruhig. Er ging auf und ab und faßte sich an seinen Kopf, als wollte er verhindern, daß er ihm wegfliegt. Plötzlich dröhnte die Stimme meines Vaters dazwischen. Er ergriff Elias' Partei. »Jawohl«, schrie er, »diese Mohammedaner haben doch keine Ehre!«

Ich war wütend auf meinen Vater, denn Mahmud ist mein bester und treuester Freund. Onkel Salim ging hinaus, und wir schlichen uns hinter ihm auf die Straße, und als ob Mahmud dieselbe Angst gehabt hätte wie ich, ging er allein und machte einen Bogen um die Streitenden. Er stand nah bei seinem Vater und blickte ängstlich zu mir herüber, und ich zitterte. Unter dem gelblich blassen Licht der Straßenlaternen schienen die Gesichter der Versammelten genauso bleich wie damals das Gesicht meines Großvaters auf seinem Sterbebett.

»Bleibt lieber bei euren Kartoffeln«, rief Onkel Salim laut; seine bebende Stimme setzte die Versammelten in Erstaunen. »Bleibt bei den Kartoffeln und laßt die Religionen ihren Göttern«, wiederholte er und drängte sich in die Mitte der kleinen Menschenansammlung.

»Man erzählt«, rief er und hob seine Arme, um die Aufmerksamkeit aller auf sich zu lenken, »es war einmal ein großer Wald. Hunderte von Pinien lebten stolz und mit erhobenem Haupt neben drei Olivenbäumen, die klein und schmächtig, aber nicht weniger stolz waren.

›Was interessiert uns, daß die Pinien weit sehen, sie sind nur hochmütig, und vom schwächsten Wind werden sie hin- und hergeschaukelt. Wir sind tief verwurzelt, und auf dem Boden entgeht uns nichts‹, dachten die Olivenbäume.

Aber die Pinienbäume interessierten sich kaum für das, was auf dem Boden geschah. Sie waren stolz auf ihren weiten Blick.

Ab und zu stritten die Nachbarn, was besser sei: Oliven oder die Pinienkerne.

›Wir geben den Armen Nahrung. Euch braucht der Mensch höchstens als Verzierung mißlungener Gerichte‹, höhnten die Olivenbäume.

›Die wertvollsten Früchte tragen wir. Eure sind schmierig und ranzig‹, antworteten die Pinien.

Da sich die Nachbarn nicht aus dem Weg gehen konnten, waren sie sehr höflich zueinander, wenn sie sich grüßten.

Eines Tages sahen die Olivenbäume ein Streichholz auf dem Boden liegen. Das Streichholz flüsterte den Olivenbäumen zu: ›Habt keine Angst, ihr bescheidenen, gütigen Olivenbäume. Ich will nur die Pinien anzünden. Die Pinien haben die Pappel, meine Mutter, beschimpft; ich will sie rächen.‹

Zwei Olivenbäume sagten: ›Was geht uns das an? Das Streichholz will ja nur die Pinien anzünden, und die sind wirklich hochnäsig.‹

Der älteste Olivenbaum mit dem knorrigen Gesicht sagte: ›Das Streichholz ist gemein.‹ Und er rief den Pinien zu: ›Holt den Wind! Holt die Wolken! Laßt sie regnen und dieses gemeine Biest zerstören.‹

Die Pinienbäume lachten höhnisch: ›Was kann schon ein Streichholz anrichten, der erbärmliche Sohn einer dämlichen Pappel.‹ Einige Pinien aber dachten: ›Wenn es brennt, brennen die kleinen häßlichen Olivenbäume ab. Dann holen wir die Wolken und löschen das Feuer. Dann verteilen wir unsere Kerne in der entstandenen Lichtung – und wir, die aufrechten Pinien, sind unter uns!‹

Der alte Olivenbaum reckte seine Zweige gen Himmel und versuchte den Wind und die Wolken herbeizurufen, aber seine Arme waren kurz und starr. Er konnte weder den Wind noch die Wolken erreichen.

Als die Sonne schien, rollte sich das Streichholz unter eine Glasscherbe, die in der Nähe lag. Nach einer Weile loderte eine kleine Flamme auf. Das Feuer wurde größer, und es fraß die Oliven- und die Pinienbäume. Die Pinien schrien nach dem Wind und nach den Wolken, aber das knisternde Lachen des Feuers war lauter, und es regnete und stürmte nicht. Und so brannte der ganze Wald nieder.

Seither hören alle Pinien der Welt die Berichte der Olivenbäume über das, was auf dem Boden geschieht. Und die Olivenbäume lauschen aufmerksam dem, was die Pinien von der Ferne erzählen. Tag für Tag aber springen Streichhölzer aus ihren Schachteln und lauern auf eine Möglichkeit.«

Als Onkel Salim zu Ende erzählt hatte, waren die Gesichter der Leute ausdruckslos. Sie gingen schweigend nach Hause. Ich hörte den Gemüsehändler seiner Frau zuflüstern: »Dieser Salim ist ganz schön verkalkt. Er versteht doch selbst nicht, wovon er redet.«

Und seit diesem Tag sprachen weder mein Vater noch der Gemüsehändler wieder mit Mahmuds Vater.

Aber wir, Mahmud und ich, treffen uns weiterhin bei Onkel Salim.

# Als der Angstmacher Angst bekam

Onkel Salim hatte vor niemandem Angst. Genauer gesagt, außer vor Gott und den Eulen vor niemandem. Denn so ein kleines Federvieh soll Unglück bringen. Es heißt, wenn eine Eule sich auf ein Dach setzt, geht das Haus zugrunde. Viele reiche Händler sollen nach dem Besuch einer Eule bettelarm geworden sein. Könige sollen danach ihre Krone verloren haben.

Gegen neidische Augen trug Onkel Salim einen blauen Talisman unter seinem Hemd. Das kleine blaue Steinchen schützte ihn bereits seit über siebzig Jahren vor den Pfeilen des Neides.

Wenn die Hunde in der Nacht sonderbar jaulten, bekamen viele Nachbarn Angst um ihr Leben, denn wenn Hunde wie ein Schakal heulen, sucht der Tod in dieser Nacht diesen Stadtteil auf.

»So ein Unsinn! Hunde jaulen ungewöhnlich laut, weil sie irgend etwas gefressen haben, was ihnen nicht bekommen ist. Der Tod begleitet das Leben am Tag und in der Nacht«, sagte Onkel Salim und lachte, wenn wir ihm von der Angst unserer Mutter erzählten.

Nun, in Damaskus war in den letzten Jahren kaum eine Eule aufgetaucht, und so hatte Onkel Salim vor keinem irdischen Wesen Angst.

Im Gegensatz zu allen Nachbarn unserer Straße hatte Onkel Salim auch nie Angst vor der Regierung. In seinem langen Leben hatte er zu viele überlebt. Die letzten Sultane der Osmanen, die Generäle der Franzosen, die unser Land lange besetzt hielten, und die zwanzig Regierungen, die seit der Unabhängigkeit die Macht in Syrien innehatten. »Ich habe keine Angst vor meiner Unterwäsche«, verhöhnte er die Erwachsenen, die ihm immer wieder von Verhaftungen erzählten. »Noch öfter als die Unterwäsche werden diese Gauner gewechselt, und vor denen soll ich Angst haben?«

In Damaskus wechselten die Machthaber manchmal schneller als die Filme im Kino. ›Vom Winde verweht‹ überdauerte drei Regierungen. Syrien, Italien und Bolivien wechselten ihre um die Wette. Wir überrundeten Italien, aber Bolivien stand mit 32 seit dem Zweiten Weltkrieg ganz vorne.

Überhaupt war Onkel Salims Haltung gegenüber den Herrschenden merkwürdig. Beschäftigten sich die Nachbarn mit den Errungenschaften einer neuen Regierung und lobten meist ängstlich ihre guten Taten, so zählte Onkel Salim die guten Taten der gestürzten auf.

Ich war stolz auf Onkel Salims Freundschaft, denn er nannte mich immer »mein junger Freund« und tat das ganz offen. Nie schämte er sich meiner, auch wenn mein Vater in seiner Wut mich zu den schlimmsten Verbrechern zählte; denn war man einmal Onkel Salims Freund, konnte niemand daran rütteln.

Zweimal hat sich das Leben in unserer Straße völlig verändert. Das eine Mal war vor drei Jahren, das zweite Mal vor einem Monat. Vor drei Jahren zog ein Geheimdienstler in unsere Straße. Jeder wußte, daß er ein Schnüffler war. Er trug Zivilkleidung, aber man sah seine Pistole unter dem dünnen Sommerhemd. Er hatte meistens schlechte Laune und grüßte uns kaum, wenn er an uns vorbeiging. Wenn wir eines seiner Kinder fragten, was der Beruf seines Vaters sei, antwortete es: »Beamter«. Es war uns klar, daß er kein Beamter des Gesundheitsministeriums war.

Die Nachbarn schimpften früher laut und erregt über die teuren Preise und den verlorenen Krieg, aber seitdem dieser Spitzel bei uns eingezogen war, sprachen sie nur noch leise darüber, und jeder war bemüht, seine Meinung einem Unbekannten in die Schuhe zu schieben. Das laute »Ich meine, daß...« verwandelte sich schnell in ein schüchternes »Ich weiß es nicht genau, ich habe nur gehört, daß...«

Unsere Väter ermahnten uns, nie mit den drei Kindern des Geheimdienstlers zu streiten, denn das könnte üble

Folgen für uns alle haben. Aber ich spiele nicht gerne mit Jungen, mit denen ich nicht streiten darf.

»Die Regierung ist doch dumm«, sagte ich eines Tages zu Onkel Salim. »Warum läßt sie ihn seine Pistole tragen, so daß sie jeder sieht. Da ist doch nichts mehr geheim, wie soll er da seinen Dienst tun?«

»Er tut ihn, mein junger Freund. Er ist nicht so dumm, wie er ausschaut.« Onkel Salim zog an seiner Wasserpfeife. Das Gurgeln in ihrem dicken Bauch gab seinen Erzählungen eine märchenhafte Atmosphäre.

»Ein Hase«, fügte er hinzu, »ist schon halbtot, wenn er eine Schlange nur sieht. Eine Hornisse kann einen Menschen umlegen, aber hast du je einen Hasen gesehen, der vor Hornissen zittert?«

»Nein«, sagte ich bestimmt.

»Na, also. Das ist kein Geheimdienstler, das ist ein Angstmacher!«

Ich kannte Uhr- und Schuhmacher, aber dies war das erste Mal in meinem Leben, daß ich von Leuten hörte, deren Beruf es ist, Angst zu machen.

»Er ist keine Schlange, nicht einmal eine Hornisse, er ist bloß ein Hase, und wenn er das einmal entdeckt hat, bekommt er das große Zittern«, sagte Onkel Salim.

Ich zweifelte lange an seinem Urteil, denn der Steinmetz Jusef hatte nur einmal laut auf die Regierung geschimpft, und schon war er für drei Tage verschwunden. Seine Frau wagte es nicht einmal, laut zu weinen. Sie hatte Angst. Am vierten Tag kehrte Jusef heim. Er konnte kaum gehen, seine Füße waren geschwollen, blaue Flecken übersäten sein Gesicht. Er sei im Steinbruch hingefallen, sagte er. Jeder von uns wußte, daß er log, aber keiner wagte es, weiter zu fragen. Unsere Straße schien verstummt zu sein, und der Geheimdienstler wuchs zu einem Riesen, bis vor etwa einem Monat. Da verschwand nämlich der Angstmacher, und als er wieder auftauchte, war er völlig verändert. Seine Haare waren geschoren, und blaue Flecken bedeckten sein Gesicht.

Onkel Salim packte eine ungewohnte Unruhe. Er sprach mit dem Metzger, dem Gemüsehändler und dem Friseur.

Samstagabend kam er zu uns.

»Was habe ich dir gesagt, mein Freund, ein Hase ist das«, sagte er zu mir, als meine Mutter ihm ein Glas Tee servierte, und er erzählte uns die Geschichte dieses Spitzels.

»Der Angstmacher saß in der Gondelbar und hörte den Besoffenen zu. Ihr wißt ja, Wein lockert die Zunge, und die Geheimdienstler müssen am Tag eine bestimmte Anzahl Abtrünniger melden. In dieser Bar sollen sich viele Gegner der Regierung aufhalten. Der Geheimdienstler saß also an der Theke und lauschte dem Gespräch von zwei ziemlich betrunkenen Männern, die sich über den letzten Putschversuch unterhielten. Plötzlich setzte sich ein Mann neben ihn auf einen Hocker und rief:

›Gib mir einen Schnaps, damit ich diese beschissene Regierung vergessen kann!‹

Der Geheimdienstler schaute auf den Mann mit dem Bauch und der Glatze.

›Was sagst du da? Schlechte Regierung?‹

›Nein, nicht schlechte habe ich gesagt! Beschissene!!‹ antwortete der Mann barsch. ›Sie läßt die guten Bürger im Knast vermodern und die Verbrecher laufen! Wo bleibt mein Schnaps?‹ rief der Mann empört.

Der Barbesitzer, der hinter dem Tresen stand, kannte den Schnüffler. Abend für Abend spendierte er ihm zwei Gläser Bier, damit er seine Stammkunden nicht belästigte. Er gönnte dem Angstmacher diesen Fang, da er jenen Mann nicht kannte, aber er heuchelte gutmütig:

›Du meinst das doch nicht ernst, nicht wahr?‹ Er grinste den Fremden an.

›Doch. Im Ernst‹, flüsterte der Mann dem Geheimdienstler zu. ›Meinst du nicht, daß wir bald eine neue Regierung brauchen?‹

›Jetzt ist es aber genug‹, rief der Angstmacher, packte

den Fremden am Kragen, trat ihm in den Hintern und zog seine Pistole.

›Du bist verhaftet‹, rief er und schleppte den Überraschten hinaus.

Die nächste Wache war die auf dem Märtyrerplatz. Dort spielte der diensthabende Offizier Karten mit den Polizisten, um sich die Zeit zu vertreiben. Plötzlich stieß der Spitzel die Tür auf und stürzte mit dem Fremden ins Zimmer.

›Herr Offizier, dieser Mann ist Mitglied einer geheimen Organisation. Er bekommt Geld, um Unruhe zu stiften.‹

Der Offizier schaute schläfrig auf den Mann, dann auf den Geheimdienstler.

›Stimmt das, Alter?‹ fragte er.

›Es stimmt nicht, Herr. Ich bin ein friedlicher Bürger. Dieser Spitzel hat sich vollaufen lassen, beschimpfte die Regierung und seine Exzellenz, unseren Staatspräsidenten. Er sagte, er wüßte genau, daß unser Präsident ein Hurensohn sei, und als ich ihn ermahnte, fing er an, mich zu schlagen. Außerdem hat er mir mein Geld geklaut. Herr Offizier, mein schwerverdientes Geld, 898 Lira steckte er in seine Hosentasche. Das ist mein Geld!‹ rief der Mann und versuchte, seine Hand in die Tasche des Geheimdienstlers zu stecken. Dieser schlug ihm auf die Finger.

›Beschlagnahmt habe ich das Geld!‹ empörte er sich, über die Frechheit des Mannes ziemlich verdutzt.

›Und seit wann dürfen Beamte ohne Quittung Geld an sich nehmen? Steht nicht in unserem sozialistischen Gesetz, das Eigentum anderer ist unantastbar?‹

Der Offizier nickte zustimmend.

›Aber! Aber! Halt die Klappe, du scheinst zu vergessen, wer hier die Fragen stellt!‹ rief der Geheimdienstler aufgebracht. Wütend trat er den Mann so fest, daß dieser zu Boden stürzte.

›Ich habe weiß Gott nie den Staat beleidigt. Ich habe zwanzig Jahre meines Lebens im Dienste des Vaterlandes verbracht‹, rief der Mann.

›Und wie hast du Hurensohn dem Vaterland gedient?‹ rief der Offizier nervös.

›Ihnen sage ich es im Vertrauen! Bitte, lassen Sie mich es Ihnen zuflüstern, Herr Offizier!‹ flehte der Gefangene. Der Offizier dachte, der Mann sei verrückt, und merkte, daß die ganze Angelegenheit ins Lächerliche abglitt.

›Also gut, sage es mir, du Idiot‹, stöhnte er genervt.

›Jetzt hör mir gut zu. Das mit dem Hurensohn und dem Idioten war zuviel. Ich bin Luftwaffengeneral‹, flüsterte der Mann, und die Augen des Offiziers weiteten sich vor Schreck. ›Was...?‹ fragte er mit trockener Kehle, denn das verschlug ihm die Sprache. Wenn dieser Mann nun wirklich General und nicht ein Verrückter war?

›Ja, du hörst richtig. Meinen Dienstausweis zeige ich dir gleich, aber schaffe erst den Idioten dort in die Zelle.‹

›Und was ist, wenn Sie doch lügen?‹ fragte der Offizier mit höflich scherzendem Tonfall.

›Damit spaßt man nicht, du Dummkopf!‹ zürnte der Mann, und das Schimpfwort überzeugte den jungen Offizier, denn so verrückt konnte der Mann wohl doch nicht sein.

›Na schön!‹ rief er mit blassem Gesicht und wandte sich zu dem verstörten Angstmacher.

›Zunächst einmal legst du das Geld hier auf den Tisch, und zum anderen...‹

›Aber Herr...‹

›Kein aber, du besoffener Idiot. Kannst du rechnen?‹

Der Offizier winkte zwei Polizisten zu sich, die sich rechts und links von dem Geheimdienstler aufstellten.

Der verängstigte Spitzel flüsterte leise: ›Ja...‹

›Einmal Dienststörung der Hauptwache.

Einmal Trunkenheit im Dienst. Einmal Beleidigung und Mißhandlung eines Patrioten.

Einmal Diebstahl von fast tausend Lira.

Was macht das, du Dummkopf?‹

Der Geheimdienstler konnte es sich ausrechnen und ließ sich wie betäubt Geld, Pistole und seinen Dienstausweis abnehmen.

›So! Und jetzt ab in die Zelle mit ihm!‹ rief der Offizier den Polizisten zu. Als er sich zu dem Fremden umdrehte, streckte ihm dieser seinen Dienstausweis entgegen, und der Offizier konnte lesen: ›Luftwaffengeneral‹.

›Entschuldigen Sie, Genosse General. Ich weiß nicht, wie ich diesen verhängnisvollen Irrtum wieder gutmachen kann. Ich war vorlaut und…‹

›Aber, aber, warum soll ich denn sauer sein!‹

Der Offizier eilte in den angrenzenden Raum und kam mit einem Glas Tee zurück.

›Bitte, Genosse General, darf ich Ihnen ein Glas Tee anbieten? Es ist bester Ceylon!‹

Der General genoß den Tee und versprach dem Offizier, für sein Gesuch um Versetzung in die Nähe seines Heimatortes bei Aleppo ein gutes Wort einzulegen.

›Und nun‹, rief der General dem Offizier und den verdutzten Polizisten zu, ›spielen Sie weiter. Die Nacht ist lang.‹

›Ja, Genosse General!‹ rief der Offizier in strammer Haltung, und die Polizisten schlugen zackig die Hacken zusammen. Der General wünschte noch einen Blick in die Zellen zu werfen. Natürlich lehnte er die Begleitung des Offiziers dankend ab.

›Na, Dummkopf, komm her!‹ rief er dem verwirrten Geheimdienstler zu, und dieser näherte sich unsicher dem Gitter.

›Na, was habe ich dir gesagt? Ist die Regierung nicht beschissen?‹

Der Geheimdienstler wußte keine Antwort mehr.«

Onkel Salim lachte laut, und auch wir lachten über den dummen Angstmacher.

Wie gesagt, vor einem Monat änderte sich das Leben in unserer Straße. Die Leute redeten wieder laut, und sie schimpften auf die Regierung genau wie auf die Rotznasen. Wenn der Schnüffler vorbeiging, schrie der Händler Mustafa oder gar der kleine Postbeamte Chalil seiner Frau zu:

»Hast du deinem Bruder, dem Panzer-General, schon zum Geburtstag gratuliert? Ach was, noch nicht? Dann tu das und schreibe ihm, es geht uns prächtig hier!«

Mir schien es, als hätte unsere Straße ein Dutzend Generäle und Admirale auf einmal geboren, die uns jedoch aus unerklärlichen Gründen nie besuchten. Sie hatten ihre Dienststelle allerdings auch weit von uns entfernt im Norden des Landes, doch jeder bekam auf einmal Briefe von Onkel General oder vom Neffen Gouverneur. Ich hatte bis dahin auch noch nicht gewußt, daß meine Mutter einen Bruder hatte, der die halbe syrische Flotte befehligte.

Aber wir! Wir konnten nun mit den Kindern des Geheimdienstlers spielen und uns mit ihnen raufen, als wären sie erst vor einem Monat in unser Viertel eingezogen.

## Ein ehrlicher Handel

»Und wie kann ich erreichen, daß der Süßigkeitenhändler mir vertraut? Ich meine: Was macht er, wenn ich ihm das Geld nicht zurückzahle?« fragte ich Ali neugierig.

Ali verkaufte Jahr für Jahr in den Sommerferien Süßigkeiten. Er trug sie schön angeordnet auf einem runden Blech und pries ihren leckeren Geschmack von Straße zu Straße.

Sein Vater arbeitete als Lastwagenfahrer und konnte genauso wie mein Vater seine Familie nur mit Mühe ernähren. Ali aber beneideten wir. Er war der Händler unter uns Kindern. Wir schufteten uns halb tot in den Läden unserer Väter, aber keiner von uns besaß auch nur einen Piaster, ausgenommen dieser magere Ali mit den kleinen stechenden Augen. Er gab sein Geld mit vollen Händen aus und sah sich gute Filme in den besten Kinos von Damaskus an, während wir uns nur hin und wieder veraltete Schnulzen in dem vermoderten Raum eines der schäbigen Kinos leisten konnten. Auch Schläge bekam er weniger als wir. Sein Vater stand in seiner Schuld, dreiundsechzig Lira hatte er sich schon von seinem Sohn ausgeliehen. Ali führte Buch über jeden seiner Schuldner, sorgfältig notierte er jeden neuen Kredit. Auch ich hatte Schulden bei ihm, aber es waren nur sechs Piaster. Ich konnte mir vorstellen, wie kleinlaut ihm sein Vater mit diesem Schuldenberg gegenübertrat.

Ich entschloß mich also in jenem Sommer, es ihm gleichzutun und Süßigkeiten zu verkaufen. Meinem Vater war egal, was ich tat.

»Die Hauptsache ist, der Bengel arbeitet«, sagte er scherzend zu meiner entsetzten Mutter. Meine Mutter stammte aus einer armen Bauernfamilie, und für sie war Handeln eine Art Schande.

»Aber woher soll er das Geld bekommen?«

»Das ist seine Sache«, antwortete mein Vater und kratzte sich am Kopf. »Die Fische fragen bei ihrer Geburt auch nicht, woher der Fluß kommt und wohin er fließt. Sie schwimmen einfach.«

Mein Vater hatte immer solche tiefsinnigen Sprüche auf Lager, wenn es an seinen Geldbeutel ging. Es blieb mir also nur ein Weg: Ich mußte Ali um Hilfe bitten.

»Nicht fünf, du Idiot, sechs Lira mußt du dem Händler zurückzahlen. Du bekommst Ware für fünf, zahlst aber sechs. Diese Lira nennt man Zinsen. Zwanzig Prozent.«

Ich verstand weder das mit den Prozenten noch das Wort Zinsen. Es hatte mich bis dahin ja auch kaum interessiert. Mich beschäftigte nur, ob der Händler Vertrauen zu mir haben würde.

»Nein. Ein Händler vertraut nur seiner Rechnung. Er ist nicht so dumm, Menschen zu vertrauen. Die Kinder stehen Schlange und betteln um Kredit, aber den gibt er Neulingen nur, wenn eine Vertrauensperson die Hand für sie ins Feuer legt.«

»Und wer ist eine Vertrauensperson?«

»Das sind wir, also die, die seit Jahren bei ihm kaufen und inzwischen eigenes Kapital haben. Ich zum Beispiel zahle seit Jahren bar, und wenn ich ihm sage, gib dem Sufan oder Jusef ein Startkapital, dann rückt er damit heraus.«

»Und was machst du, wenn ich die Süßigkeiten esse oder verliere?« fragte ich unbeholfen. Das Gesicht von Ali zuckte; ich erkannte meine Dummheit und beeilte mich, meine Frage abzuschwächen.

»Ich meine, als Beispiel! Nur als Beispiel!«

»Ja, dann muß ich dafür haften!« stöhnte Ali und blickte in die Ferne. »Aber ich mache es ja nicht für jeden. Ich bin ja nicht blöd.«

»Würdest du es für mich tun?« fragte ich ängstlich.

Ali schwieg eine Weile und schaute mich prüfend an. Für mich dauerte sein Zögern eine Ewigkeit, und es schmerzte mich, daß er mir so wenig zu vertrauen schien.

»Ja«, antwortete er endlich leise, und ich atmete erleichtert auf. »Du bist ehrlich. Du hast deine Schulden immer bezahlt. Für Georg würde ich nicht einmal pinkeln. Er hat bei mir immer noch zwei Lira Schulden, und nun kauft er bei anderen. Dort bei den Fremden bezahlt er auf einmal in bar. Aber eines Tages werde ich es ihm heimzahlen«, flüsterte Ali drohend und leise, weil der dicke Georg in der Nähe sein neues Fahrrad polierte. Ali schaute bedeutungsvoll auf die Reifen, und ich verstand, wie die Heimzahlung aussehen würde.

»Und was muß ich für dich tun?« fragte ich neugierig.

»Nichts! Ich bekomme eine Lira für mich, und du darfst nicht in den Straßen verkaufen, wo ich meine Kunden habe. Von hier bis zum Thomastor und dann von dort bis zum Osttor. Das ist mein Viertel. Da hast du nichts verloren.«

Die letzten Worte klangen etwas herrisch, aber ich überhörte es.

»Also sieben Lira muß ich herausholen, um dir und dem Händler alles zurückzuzahlen?«

»Du verdienst das schon; wenn du nichts frißt und darauf achtest, daß dir keiner was klaut, holst du mindestens neun Lira heraus. Davon zahlst du mir und dem Händler das Geld zurück, und es bleiben dir immer noch zwei Lira Eigenkapital. Die Lira, die du mir gibst, holst du von einem anderen, für den du später bürgst.«

Gleich am nächsten Tag nahm ich ein Blech unter den Arm und machte mich mit Ali auf den Weg zum Süßigkeitenhändler im alten Bazar von Damaskus. Sein Geschäft lag in der Körnerstraße, und wenn man es betrat, konnte man sich kaum sattsehen an den vielen Hunderten von Gläsern und Glaskästen, angefüllt mit den bunten Leckereien. Meine Angst, daß der Händler mich auslachen würde, verflog augenblicklich. Er strahlte Ali entgegen, ohne mich überhaupt zu beachten. Meine Beteuerungen, die ich die ganze Nacht vorbereitet hatte, blieben mir und dem Händler erspart. Er fragte mich noch nicht einmal nach meinem Namen. Der hagere alte Mann erledigte die große Bestellung Alis, dann gab er seinem Gehilfen eine knappe Anweisung.

Fünfzig Zuckerpüppchen
Hundert Kekse
Fünfundzwanzig Kaugummischachteln.

Der Gehilfe beeilte sich, die Bündel und Schachteln abzuzählen und sie in einen Kasten zu werfen. Ich nahm die Süßigkeiten und eilte hinaus, als wäre ich ein Dieb. Ich wußte noch nicht, wohin ich gehen würde und wie teuer ich meine Ware verkaufen sollte. Ohne Ali auch nur ein einziges Dankeswort zu sagen, eilte ich davon, da es schon nach neun war. Erst gegen Mittag erreichte ich das weit entfernte Reichenviertel. Die breite Allee war wie leergefegt. Wo blieben nur die Kinder? Ich fing leise an, meine Püppchen zu preisen, und nach einer Weile hatte ich den Ruf zu einem Vers entwickelt, so wie Ali das auch machte. Ich war auch etwas mutiger geworden und hob meine Stimme richtig an. Aber ich lief lange in der sengenden Mittagssonne herum, ohne daß ich auch nur ein einziges Kind gesehen hätte. Die Luft schien wie tot zu sein, kein Geruch aus den Küchen, kein Geräusch unterbrach die lastende Stille. Ich beschloß, mich in dem Schatten einer großen Trauerweide auszuruhen. Erst gegen drei Uhr nachmittags kamen einige Kinder aus ihren Häusern. Sie schauten mich und mein Blech erst mißtrauisch an, dann näherte sich langsam ein Junge und fragte höflich, was das sei. Ich war völlig verblüfft und erzählte ihm schnell, wie gut die Püppchen schmecken, und schon war er mein erster Kunde. Er feilschte noch nicht einmal. Ohne zu murren zahlte er und fand die Leckerei nach dem ersten Biß so gut, daß er gleich noch drei dazu nahm. Die anderen Kinder kamen neugierig herbei und wollten sie auch versuchen. Die Kekse und Kaugummis interessierten sie nicht, aber für die Zuckerpüppchen zahlten sie den dreifachen Preis, ohne ein Wort darüber zu verlieren. Wie man so etwas macht, wollten sie wissen. Ich verriet es ihnen, und sie hörten gebannt zu, als erzählte ich ihnen ein Räubermärchen. Irgendwann kamen wir auf die Spiele zu sprechen, die wir bei uns in der Straße spielen. Sie hörten so erstaunt zu, als wäre ich von einem anderen Planeten, auf dem die Kinder mit Oliven-, Aprikosen- und Dattelkernen spielen. Geschickt habe ich dann die Erzählung auf Spiele mit Kaugummis gelenkt, und schon wollten sie sie von mir lernen.

Ganz einfach, man wirft eine Kaugummischachtel so nah wie möglich an die Wand, und wer seine der Wand am nächsten plaziert, gewinnt die Schachteln seiner Gegner. Das hat gleich gezogen, und in zehn Minuten war ich meine Kaugummis los.

Das Spiel mit den Keksen haben sie auch gleich kapiert. Man nimmt einen Keks in die Hand und läßt ihn von der Höhe der Nase auf den Boden fallen. Der eine sagt »gerade«, der andere »ungerade«. Es gibt keine Tricks, man gewinnt nur mit Glück. Die Bruchstücke werden gezählt. Es gelten aber nur Stücke, die Vorder- und Rückseite aufweisen, keine Krümel also.

Sie spielten, und ich kassierte. Nach ein paar Stunden war ich auch die Kekse los. Aber irgendwie gefiel ihnen das Spiel mit den Keksen nicht so recht, denn sie ekelten sich vor den übriggebliebenen Bruchstücken.

Ich beschloß, keine Kekse mehr mitzubringen. Auf dem Weg nach Hause zählte ich das Geld dreimal. Ganze 11,20 Lira hatte ich eingeheimst.

»Wo warst du?«

»In der Stadt!« antwortete ich Ali, ohne meine kleine Goldgrube preiszugeben.

»Du bist ein guter Händler«, bestätigte er mir, was ich spätestens bei dem Keksspiel bemerkt hatte. Ali bekam seine Lira und war zufrieden.

Die Tage vergingen, und ich handelte schon nach einer Woche mit meinem eigenen Kapital von mehr als fünfzehn Lira. Meine Mutter war überglücklich, denn jede Woche brachte ich ihr ein Geschenk mit, mal ein Paar Strümpfe, mal Parfüm und in der vierten Woche sogar ein Kilo Kaffee. Sie war so dankbar, daß sie allen unseren Gästen nach jedem Schluck erzählte, daß ich diesen guten Kaffee gekauft hatte. Auch mein Vater nannte mich nicht mehr »Idiot« oder »Faulpelz«, sondern »mein tüchtiger kleiner Händler«.

Schon nach einem Monat hatte ich zehn Lira bei ihm aufbewahrt. Natürlich habe ich seinen Namen unter »Schuldner« aufgeschrieben. An erster Stelle. Meine Mutter habe ich nicht aufgeschrieben. Sie hätte ja sowieso nicht zurückzahlen können.

Meine Schwester Leila war auch glücklich, denn noch nie hatte sie soviel Kekse und Zuckerpüppchen gegessen wie in jenem Sommer. Ich ging täglich in das Reichenviertel, verkaufte und spielte. Ja, spielte. Ich konnte immer gewinnen, wenn ich wollte, denn die reichen Kinder waren so richtig tolpatschig. Für meine Kaugummis hatte ich schmerzliches Lehrgeld bei den Gaunern in unserer Straße bezahlen müssen. Jeder von ihnen war eine perfekte Wurfmaschine, ihre Kaugummis klebten so dicht an der Wand, als hätte sie ein Magnet angezogen. Hier in dem reichen Viertel warfen unerfahrene Kinder auf gut Glück die gelbe Schachtel, und es war wirklich leicht für mich, zu gewinnen. Glück hatte ich nicht nötig, der Wurf mußte nur sitzen. Ich gewann viel, und das reizte die reichen Kinder. Sie hatten Geld wie Heu, und ich konnte eine ganze Scheune voll davon gebrauchen. Aber Ali verzog das Gesicht, als ich ihm erklärte, wie ich täglich meinen Gewinn verdoppelte.

»Ein Händler darf kein Spieler sein. Das geht nicht lange gut«, sagte er trocken und zog weiter. Ich glaubte, daß er ein Dummkopf war, weil er soviel Geld einfach liegen ließ, bis ich den verfluchten Freitag erlebte.

An jenem Tag spielte ich genau wie immer. Plötzlich kam ein Offizier aus einem der Häuser und packte mich am Kragen. »Her mit den drei Lira, die du meinem Sohn abgenommen hast.« Das war für mich auch neu, daß Erwachsene sich in die Spiele der Kinder einmischten. Bei uns in der Straße lassen die Mütter nicht einmal ihre Kaffeetasse wegen einem Streit unter Kindern im Stich.

»Du mußt selbst sehen, wie du damit fertig wirst«, sagte meine Mutter mir vor Jahren, als der dicke Georg mich einmal verprügelt hatte.

Ich gab dem Offizier das Geld natürlich nicht, und er trampelte wütend auf dem Blech mit den Püppchen und Kaugummis herum, bis zwei Passanten ihn beruhigten. Ich sammelte mit den Kindern die Bruchstücke auf, häufte sie auf das zerbeulte Blech und ging wie ein geschlagener Hund davon. Wo sollte ich bloß diesen Berg von Bruchstücken verkaufen?

Im Reichenviertel konnte ich damit nicht ankommen. So rannte ich, bis ich das Slumviertel von Damaskus erreicht hatte. Nahe am Osttor, dort, wo das Gebiet von Ali gerade anfing, verkaufte ich den armen Kindern die Bruchstücke zum halben Preis, und sie kauften schnell. Ich war fast fertig, als Ali auftauchte. Er schimpfte nicht, aber seit diesem Tag redete er nicht mehr mit mir. Das hat mich geschmerzt, weil Ali nicht verstehen wollte, daß es ja nur dieses eine Mal war.

Ich hatte aber daraus gelernt, daß ein Händler nicht spielen darf, und hielt mich auch daran. Ich ging zwar wieder in das Reichenviertel, aber erzählte jetzt den Kindern Witze und Geschichten aus unserem Viertel. Die Kinder kamen jeden Tag wieder und waren gespannt auf neue Abenteuer aus meiner Straße, dabei hatte ich ihnen nur ganz normale Streiche erzählt. Aber sie hatten ja von nichts eine Ahnung.

Bald blieben mir nur noch zwei Tage bis zum Schulanfang. Ich rüstete mich mit meinem Kapital von zwanzig Lira zum letzten Angriff. Ich wollte so richtig absahnen. Bereits am Tag zuvor hatte ich den Kindern gesagt, daß ich zum letzten Mal kommen würde, und sie kamen alle und spielten. Es dauerte lange an diesem Tag, aber am Ende hatte ich über fünfundvierzig Lira in der Tasche. Soviel Geld auf einem Haufen hatte ich noch nie gesehen. Zum erstenmal verstand ich, warum die Reichen Angst um ihr Leben haben. Noch nie hatte ich soviel Angst wie an diesem späten Nachmittag auf dem Weg nach Hause, als die fünfundvierzig Lira wie schwere Steine in meiner rechten Tasche lagen. Ich hatte Angst, jemand könnte mir auflauern und das Geld wegnehmen. Trotzdem ging ich lieber zu Fuß, als einen der überfüllten Busse zu nehmen, denn da hätte es ein Taschendieb bei jedem Bremsen ziemlich leicht gehabt. Sehr spät kam ich zu Hause an. Es war schon dunkel.

»Wo warst du bis jetzt?« fauchte mich meine Mutter an.

»Ich habe dir doch gesagt, heute ist der letzte Tag.«

»Dein Vater tobt schon die ganze Zeit. Sie haben ihm heute eine Strafe aufgebrummt. Angeblich stimmt die Waage nicht. Diese Hurensöhne haben ihm 30 Lira abgenommen. Womit soll er jetzt das Mehl bezahlen?« flüsterte sie traurig. Ich schaute durch das kleine Fenster. Mein Vater schlief mit ausgebreiteten Armen und Beinen auf dem Bett, und das plärrende Radio gab dem Raum eine unheimliche Atmosphäre, als stritten Dämonen um seine Seele.

Als ich mich gewaschen hatte, war mein Vater wieder wach. Ich hatte meiner Mutter zehn Lira geschenkt und kam mit den übrigen fünfunddreißig zu ihm, da merkte ich schon, daß er eine Stinkwut hatte. Er erwiderte nicht einmal meinen Wangenkuß.

»Setz dich hin!« herrschte er mich an. Er schaute auf die vielen Münzen und die geglätteten Lirascheine.

»Wieviel ist das?«

»Fünfunddreißig!«

»So viel?«

»Es war der letzte Tag, und die Reichen haben gekauft wie die Wilden!«

»Das kannst du deiner Mutter erzählen, aber mir nicht, mein Söhnchen, mir nicht. Nicht einmal meine Bäckerei bringt so viel ein«, rief er empört.

Zorn stieg in mir auf, aber ich konnte keine Silbe über die Lippen bringen.

»Morgen gehe ich Zuckerpüppchen verkaufen!« fuhr er mit verbitterter Stimme fort. »Wozu die ganze Schufterei in dieser gottverdammten Bäckerei, wenn mein einziger Sohn ein Dieb ist...«

»Ein Dieb?« rief ich verwundert. Ich hatte meine Füße wundgelaufen, und er schimpfte mich einen Dieb. »Ich schwöre es bei allen Heiligen, es war ein ehrlicher Handel!«

»Ehrlicher Handel! Geklaut hast du es!« brüllte er.

Meine Mutter kam herein.

»Muß es so laut sein? Die Nachbarn sitzen doch im Hof!« flehte sie, wie immer besorgt.

»Wenn ich mein Kind erziehe, geht das niemanden was an. Jawohl, niemanden«, schrie mein Vater, und er schrie noch lange an diesem Abend.

Meine Mutter bat ihn um Milde, aber sein Urteil war schon längst gefällt. Das Geld behielt er natürlich.

»Dann schuldest du mir das Geld!« rief ich laut.

»Schulden!? Bei dir!? Du kannst froh sein, daß ich dich überhaupt ernähre, dich, einen Dieb!«

Ich konnte nicht mehr reden. Mein Vater war der einzige Schuldner, den ich kannte, der seinen Gläubiger beschimpfte. Das konnte er mit einem lausigen Händler nicht machen, aber mir gegenüber leistete er sich das, ohne mit den Wimpern zu zucken, bloß weil ich sein Sohn war. Ich fluchte über mein Unglück und ging ins Bett.

Meine Mutter kam zu mir. Sie wollte mir die zehn Lira zurückgeben, ja, und sogar noch zwanzig dazu, die sie heimlich in all den Jahren Piaster für Piaster gespart hatte. Ich lehnte ab. Ich konnte nicht schlafen und bat meine Mutter, mir eine Geschichte zu erzählen.

»Es war oder es war nicht ein dummer Wind, der flog brüllend und pfeifend über die Ebene und schrie die Bäume an, sie sollten vor ihm auf die Knie fallen. Viele Bäume knieten sofort aus Angst nieder, und einige riefen laut ›Nein!‹. Da riß der Wind sie weg. Als er vorbeigezogen war, versuchten die knienden Bäume, sich wieder aufzurichten, aber sie konnten nicht mehr. Das höhnische Gelächter des Windes schmerzte sie noch mehr als ihr gebeugter Rücken.

Auf seinem Flug sah der Wind eine flache Ebene, und er wollte sich gerade genüßlich über den Boden rollen, da verspürte er einen scharfen Schmerz, denn er hatte einen kleinen Olivenbaum übersehen, der einsam auf der Ebene lebte.

›Du dummes Ding. Du hast mir meinen Rücken aufgekratzt!‹

›Es war nicht meine Absicht, edler Herr‹, antwortete der junge Olivenbaum.

›Auf die Knie, wenn du mit mir redest!‹

›Ich würde es gern tun, wenn dieser Bauer heute nicht da wäre‹, antwortete der junge Olivenbaum und zeigte auf einen Mann, der in der Ferne den Boden hackte.

›Was, ein Bauer? Hast du mehr Angst vor ihm als vor mir?‹ rief der Wind verärgert.

›Keineswegs, edler Herr. Du bist stärker als alle Bauern zusammen, aber wenn ich vor deiner Macht in die Knie gehe, wird er das falsch verstehen. Er hat mich hier gepflanzt und wartet geduldig, wie die Bauern sind, daß ich wachse, und erst wenn er sieht, daß ich ihm Oliven bringe, pflanzt er Hunderte von Olivenbäumen an. Dann werde ich mit all meinen Brüdern vor dir knien. Was hast du davon, wenn hier weit und breit kein anderer Baum deine Macht bewundert?‹

›Das gefällt mir, Junge. Wie lange dauert das, bis alle hundert Olivenbäume gepflanzt sind?‹

›Zwanzig Jahre, edler Herr!‹

›Nun gut, zwanzig Jahre und keine Minute länger. Nach dieser Zeit komme ich wieder, und dann möchte ich es genießen, dich und deine Sippschaft auf den Knien zu sehen‹, sagte der Wind und flog davon.

Nach zwanzig Jahren erinnerte sich der Wind an den

Weg zur Ebene und rieb sich die Hände vor Freude, als er den grünen Olivenhain sah.

›Fallt auf die Knie‹, rief er laut. Die Olivenbäume übertönten mit ihrem Lachen sogar das Pfeifen des Windes.

›Vor niemandem, du Dummkopf!‹ riefen sie und schlugen ihre Wurzeln immer tiefer in die Erde. Der Wind wütete, aber nur einige Zweige gingen zu Bruch, und je mehr er wütete, desto weiter trug er die Olivenkerne, und Jahr für Jahr wuchsen immer mehr neue Olivenbäume. Nach ein paar Jahren schließlich mied der Wind die Gegend.«

So erzählte meine Mutter, und als sie meine Haare gestreichelt und mir schöne Träume gewünscht hatte, sprang ich aus dem Bett, nahm das Schuldnerheft und schrieb neben die alten Schulden meines Vaters die neuen fünfunddreißig Lira, steckte das Heft unter meine Schulhefte und kehrte wieder ins Bett zurück. In zwanzig Jahren wird man sehen...

# Hände aus Feuer

Nein, das ist kein Märchen. Salma war tatsächlich eine Prinzessin. Eine Prinzessin aus den fernen Bergen. Ihr Vater zwang sie, den König der Straßen zu heiraten. Der König war ein gefürchteter brutaler Herrscher, aber weder er noch die hohen Mauern seines Schlosses konnten die Prinzessin daran hindern, zu träumen. Die Jahre machten Salma älter, aber ihr Traum verjüngte ihr Herz von Jahr zu Jahr. Eines Tages erblickte sie aus ihrem Fenster einen Prinzen, und sie liebte ihn vom ersten Blick an. Sie warf ihm ihr kostbares seidenes Taschentuch zu. Der Prinz hob das kleine, duftige Tuch auf und schaute zu Salma hinauf; er sah ihre Schönheit und ihr liebreizendes Lächeln, und er verliebte sich sofort in sie. Salma überlistete die Wächter und traf sich heimlich mit ihrem Geliebten. Sie blühte auf und wurde von Tag zu Tag jünger...

Nein, es war kein Märchen. Märchen spielen in alten Zeiten und fernen exotischen Ländern und nicht im heutigen Damaskus.

Der Herbst in Damaskus ist vielleicht die schönste Jahreszeit. Die Straßen beleben sich mit Straßenverkäufern, die die begehrten Herbstfrüchte anpreisen, vereinzelte Touristen bringen mehr Zeit mit als die Gierigen vom Sommer, die unsere alte Stadt samt ihren Menschen in ein paar Stunden verschlingen wollen. Die Schwalben scheinen die letzten Freuden zu sammeln, bevor sie sich auf die lange Reise in den Süden machen. Sie füllen den Himmel mit ihren hellen Rufen. Es ist nicht mehr so heiß wie im August. Die ersten Boten des kalten Nordwindes erfrischen die ermatteten Gesichter der Stadtbewohner, vor allem der meines Viertels, die keine Möglichkeit haben, dem Sommer in die kühlen Berge zu entfliehen.

Im Herbst brauche ich auch meinem Vater nicht so oft in der Bäckerei zu helfen. Viele arbeitslos gewordene arme

Bauern und Landarbeiter strömen nach der Erntezeit auf der Suche nach Arbeit in die Stadt. Mein Vater bekommt mehr Angebote von Arbeitern, als die Bäckerei braucht. Ich kann mich im Herbst auf die Schule konzentrieren, und nach dem Unterricht gehört die Zeit mir allein.

Alles begann an einem Samstagnachmittag. Mir blieb noch etwas Zeit, denn um sieben Uhr hatten wir uns, Mahmud, Georg und ich, bei Jusef zum Kartenspiel verabredet. Ich stand an der Haustür und amüsierte mich über den alten Taubenzüchter am Ende der Straße. Er stand auf dem Dach seines Hauses und versuchte, eine seiner Tauben vom benachbarten Dach herbeizulocken. Ein waghalsiges Unternehmen. Es dauerte schon eine Weile, aber der Mann setzte seine Verrenkungen unbeirrt fort. Die Taube schien jedoch an irgend etwas Anstoß genommen zu haben. Weder die Körner noch die freundlich lockenden Gesten konnten sie verführen. Sie rückte immer weiter weg.

Die Wäsche von Salma flatterte im Wind über der Terrasse. Die Straße war wie leergefegt. Samstag ist Badetag. Die Kinder meiner Straße, die mit ihren Schreien an einem solchen Nachmittag die Rufe der Schwalben übertönen, müssen die Tortur der Kernseife und der Hautabschürferei durch die aus gnadenlosem Sisal gefertigten Handschuhe ertragen. Die Mütter rubbeln und schrubben, um ihre Augen an sauberen Söhnen und Töchtern – und sei es auch nur für ein paar Stunden – weiden zu können, aber am Sonntagnachmittag sehen die Kinder wieder so verschmutzt aus wie vor der wöchentlichen Quälerei. Das müßte sie ja eigentlich entmutigen, aber die Mütter unserer Straßen ziehen zum Schmerz der Kinder immer den falschen Schluß daraus. Sie blicken ihre abgekämpften und schmutzigen Kinder an und beschließen, am nächsten Samstag erst recht keine Milde mehr walten zu lassen.

Seit nunmehr sieben oder acht Jahren bade ich alleine, aber jeden Samstag höre ich die Hilferufe der Kinder aus den Küchen, wo sie gebadet werden, und mein Hals juckt in schmerzlicher Erinnerung.

Karabet, der Armenier, tauchte in der Ferne auf, taumelnd wie immer zog er seinen Hammel hinter sich her. Seit einem Jahr war der Gerber arbeitslos. Er hatte sich im Frühjahr ein Lamm gekauft und es zu einem prächtigen Hammel aufgezogen, den er jeden Tag zu den Wiesen in der Nähe führte, um ihn dort das saftige Gras genießen zu lassen. Karabet trank viel Schnaps und war oft betrunken, aber er tat keiner Seele etwas zuleide. Er lachte nur laut, aber das Lachen störte ja niemanden. Seine Frau war eine fleißige Schneiderin, so brauchten sie sich vor der Armut nicht zu fürchten. Karabet pflegte seinen Hammel besser als sich selbst, jeden Tag wusch er ihn so liebevoll, daß die Kinder sich wünschten, ein Hammel in den Händen Karabets zu sein. Er kämmte ihn und schmückte seine Hörner mit Blumen und Glasperlen. Wenn einer ihn fragte, wie es seiner Familie gehe, antwortete er nur sehr knapp: »Nicht schlecht.« Aber erkundigte sich jemand nach seinem Hammel, so erzählte Karabet wie ein Wasserfall. Dann schien es, als sei der Hammel nicht ein ganz gewöhnliches Tier, sondern verstehe sich auf Tricks und lege seinen Besitzer rein. Ja, Karabet erzählte auch, daß der Hammel ganz genau wisse, wann er gut oder schlecht gelaunt sei. Merke das Tier, daß Karabet sehr traurig sei, so wolle er ihn nicht allein saufen lassen. Er saufe mit. Das alles vollzog sich aber nur in der Phantasie von Karabet, der einmal wirklich seinem Hammel Schnaps in den Rachen gegossen hatte, so daß das Tier besoffen wurde. Damals konnten sich beide kaum noch auf den Beinen halten und torkelten von einer Straßenseite zur anderen.

An jenem Samstag schien der Hammel stur zu sein. Er war nur darauf aus, die Kalkstellen der Häusermauern abzulecken. Karabet redete bittend auf ihn ein, aber der Hammel ließ sich nur ein paar Schritte weiterziehen und wandte sich dann wieder dem verlockenden Weiß der Kalkwand zu.

Als die beiden an mir vorbeigegangen waren, drehte ich mich zu dem Taubenzüchter um, um zu sehen, ob er seine

Taube hatte einfangen können. Da sah ich, wie ein zartgelbes Badetuch von der Wäscheleine auf das Geländer heruntersegelte und von dort aus auf die Straße rutschte. Ich eilte über die Straße und nahm das nasse Tuch, um es Salma zurückzubringen. Die Tür ihres Hauses stand offen. Es war sehr klein, hatte aber wie alle Häuser in meiner Gasse einen Innenhof. Ein alter Orangenbaum wuchs dort bis zum Dach des ersten Stocks hoch. Der alte Blumenverkäufer Anwar lebte unten mit seiner blinden Frau. Salma und ihr Mann wohnten im ersten Stock.

Die blinde alte Frau saß wie jeden Nachmittag in ihrem großen, abgenutzten Schaukelstuhl. Sie bemerkte, daß ich den Hof betrat, und rief mißtrauisch: »Wer ist da?«

Ich fragte aus Verlegenheit, wo Salma wohnt. Ich wußte es jedoch genau. Wie oft schauten wir der lebenslustigen Salma zu, wenn sie die Wäsche auf ihrer Terrasse aufhängte. Sie war die schönste Frau der Straße. Wie oft hörten wir vergnügt zu, wenn sie mit den Straßenhändlern feilschte. Sie lehnte sich dann über das niedrige Geländer und lachte so verführerisch, daß die sonst so mürrischen Straßenhändler es auf einmal nicht mehr eilig hatten. Nur wenn ihr grobschlächtiger Mann mit ihr auf der Terrasse stand, faßten sich die Händler kurz.

»Tja, nicht einmal richtig Wäsche aufhängen kann sie, die Bauernschlampe. Oben wohnt sie«, krächzte die Alte. Ich stieg die kleine Treppe zum ersten Stock hinauf, zu einem mit Blumen geschmückten Gang, der um den Hof zu der Terrasse von Salmas Wohnung führte. Durch das Fenster sah ich, daß Salma weder im Wohnzimmer noch im Schlafzimmer war, wo ein breites Bett mit zwei Nachttischen stand.

Da hörte ich Salma in der Küche singen. Als ich mich der Tür näherte, hörte ich es plätschern und wußte, daß Salma in der Küche badete. Wie die Mehrheit der Häuser hier hat auch Salmas Haus kein eigenes Badezimmer. Deshalb baden die Leute in der Küche. In einem großen Kessel wird das Wasser auf dem Herd gewärmt, und dann sitzt man auf einem Hocker und wäscht sich. Einige Familien haben sogar eine blecherne Badewanne, die sie mitten in der Küche aufstellen und in der sie sich bequem im warmen Wasser aalen können. Wenn sie fertig sind, wird die Wanne wieder in die Rumpelkammer gestellt. So eine Wanne ist ein richtiger Luxus! Wir besaßen keine.

Ich klopfte an die Tür. Mein Herz schlug heftig, aber Salma sang weiter, als hörte sie mein Klopfen nicht. Ich machte vorsichtig die Tür einen Spalt auf. Nackt saß Salma in der großen Badewanne. Sie schaute mich erstaunt an. Sie schrie nicht, wie unsere Nachbarin Afifa gekreischt hatte, als ich sie vor Jahren beim Baden überraschte. Ich sollte damals bei ihr nur einige Teller ausleihen, da wir Gäste hatten und unsere nicht ausreichten. Als Afifa mich entdeckte, schrie sie wie am Spieß, als hätte ich sie vergewaltigen wollen. Ich sagte ihr verwirrt, daß wir einige Teller brauchten, aber sie hörte nicht auf zu kreischen. Da schlug ich die Tür zu und rannte fluchend zu meiner Mutter. Ich verwünschte Afifa, und die Gäste und meine Mutter lachten vergnügt über meine Angst.

»Hej, Afifa!« rief sie kichernd. »Er wollte nicht dich, sondern deine Tochter!«

Ich fand das damals gar nicht lustig. Meine ältere Schwester ging dann die Teller holen, aber Afifa verfolgte mich noch Jahre danach mit der Frage:

»Na! Willst du meine Schönste? Du bist schon ein Mann. Schau doch mal im Spiegel deinen Schnurrbart an.«

Ihre Schönste war mir völlig gleichgültig. Ich wollte nur meine Ruhe.

Nein, Salma schrie nicht. Sie lächelte und legte den Schwamm auf den Boden. Ich blieb mit offenem Mund an der Türschwelle stehen, murmelte irgendwelche Wortfetzen, die ich selber nicht verstand, als Entschuldigung, dabei streckte ich ihr das nasse Handtuch entgegen.

»Komm rein und mach die Tür zu. Es zieht!« sagte sie leise und kreuzte die Arme über ihrer Brust. Ich trat ein und legte den nassen Klumpen auf einen kleinen Tisch hinter der Tür. Salma war noch viel schöner, als ich je gedacht hatte. Daß sie nackt hier saß und mir zulächelte, war für mich unfaßbar. Ich streifte mit meinem Blick die Regale, um zu vermeiden, sie noch weiter anzustarren, dann drehte ich mich um und wollte gehen.

»Kannst du mir den Rücken einseifen?« schmeichelte Salma, und ich traute meinen Ohren nicht.

»Och... doch...« stotterte ich, als hätte der Mathelehrer mich aufgefordert, aus dem Stegreif die Wurzel von dreizehn zu ziehen. Ich blieb stehen und verfluchte meine Feigheit. Wie mutig war ich neulich mit Mahmud zusammen gewesen, als wir eine badende Nachbarin beäugten. Wir waren über eine hohe Mauer balanciert, bis wir an einer Stelle stehenblieben, von wo wir im Dunkeln den nackten Oberkörper der Badenden sehen konnten. Ein Ausrutscher hätte genügt, und wir wären zehn Meter in die Tiefe gestürzt.

Ich fiel hinter Salma auf meine zitternden Knie, nahm Schwamm und Kernseife und fing an, ihre glatte, schimmernde Haut einzuseifen. Das kitzelte sie, und sie lachte vergnügt. Ihr Lachen ermutigte mich, und ich kitzelte sie unter den Achseln. Ihr graziler Rücken wurde rot durch mein Kneten und Massieren, und mir wurde heiß. Ich wünschte, ich könnte meine Kleider ausziehen und mich zu ihr in die Wanne legen. Langsam goß ich ihr warmes Wasser über den Rücken, und Salma stöhnte voller Wonne, als es langsam herunterrieselte. Ich küßte sie am Hals. Sie wurde still. Ich dachte, daß ich sie mit meinem Vorwitz gekränkt hätte. Mahmud hatte mir von einer Frau erzählt, die immer lieb zu ihm gewesen war. Er kaufte oft für sie ein, und sie beschwerte sich ständig über ihren unfähigen, lieblosen Mann. Als er sie dann küßte, schrie ihn die Frau an, er hätte das falsch verstanden. Sie sei nicht eine von denen, die sich einfach von jedem küssen lassen.

»Es war nicht so gemeint«, sagte ich bang, um die schwere Stille zu unterbrechen.

»Hör auf zu reden«, flüsterte sie und lehnte sich zurück.

Ich küßte sie noch einmal am Hals, gleich unter ihrem Ohr. Salma drehte sich um, nahm mein Gesicht in ihre Hände und küßte mich auf die Lippen. Ich rutschte auf den Knien an ihre Seite, nahm sie in die Arme und küßte sie lange...

Plötzlich krachte es draußen furchtbar. Ich fuhr zusammen. »Dein Mann!« rief ich entsetzt und machte einen Satz zur Tür. Salma lachte fröhlich auf.

»Nein, er kommt heute nicht. Er ist für drei Tage nach Aleppo gefahren.« Sie streckte mir ihre Arme entgegen. »Komm her. Das ist nur die Dachrinne, sie schlägt bei starkem Wind gegen die Mauer. Komm zu mir«, lockte sie.

Es war das erste Mal, daß ich eine Frau so lange auf den Mund geküßt hatte. Es war ein tolles Gefühl, doch meine Knie machten sich schmerzhaft bemerkbar.

Salma stand auf. Sie trocknete sich mit einem großen weißen Badetuch ab und schaute mich immer wieder lächelnd an, als ob mein gieriger Blick sie überhaupt nicht störte.

»Bleib hier, bis ich die Vorhänge heruntergelassen habe. Es ist bald dunkel, und du kannst bei mir bleiben, bis deine Kleider trocken sind.«

Sie kippte das Wasser der Wanne in den Abfluß, zog ein dünnes buntes Kleid an, umwickelte ihren Kopf mit einem Badetuch und eilte hinaus. Erst jetzt spürte ich, daß ich bis auf die Haut durchnäßt war, aber ich zitterte mehr aus Angst als wegen der Kälte.

»Na, hast du dein Tuch von dem jungen Mann bekommen?« krächzte die alte Frau vom Hof, als sie Salmas Schritte vernahm.

»Ja, ja«, antwortete Salma und ging ins Schlafzimmer.

»Und ist er schon weg?« wollte die Frau wissen, als Salma wieder aus dem Zimmer kam.

»Ja, er ist schon weg. Ein braves Kind ist er. Wer bringt heute noch Gefundenes zurück?« erwiderte sie.

»Na ja, meine Ohren sind auch nicht mehr wie früher, ich habe gar nicht gemerkt, daß er wegging.«

Die alte Hexe, dachte ich, hat sie das nun ehrlich gemeint, oder stichelt sie?

»Zieh deine Schuhe aus, die Alte ist mißtrauisch. Ich begleite dich«, sagte Salma, als sie in die Küche kam.

»Bist du es, Salma?« fragte die Nachbarin wieder, als wir auf das Zimmer zugingen.

Ich hatte aus Versehen einen Blumentopf umgestoßen.

Salma stellte den Topf wieder auf und bejahte genervt die Frage der alten Frau. Ich blieb im Schlafzimmer allein, und Salma holte das nasse Handtuch aus der Küche, um es auf der Terrasse aufzuhängen. Dabei bückte sie sich über das Geländer und unterhielt sich mit irgendeiner Nachbarin, die ich von meinem Platz aus nicht sehen konnte. Sie schien Zeit zu haben, denn immer, wenn ich dachte, das Gespräch wäre zu Ende, lehnte sie sich wieder an das Geländer und sprach und lachte weiter mit der Nachbarin.

Ich überlegte mir, wie ich sie in die Arme nehmen würde, wenn sie zurück in das Zimmer kam. Ich hatte genug Liebesfilme gesehen, aber in keinem dieser Filme stand der Held in nassen Kleidern und barfuß im Schlafzimmer seiner Geliebten, wo ein Bild des breitschultrigen Ehemannes und ein Bild der heiligen Maria drohend auf ihn herabblickten.

Salma kam zurück, und ich stand da, naß und schwer und unfähig, mich zu bewegen.

»Zieh dich aus und häng deine Klamotten auf die Stuhllehne, sonst werden sie nie trocken«, flüsterte sie und küßte mich auf die Nase.

»Was ist, wenn dein Mann doch kommt?«

»Er kommt nicht, und wenn, dann prügelt er dich, ob du nun in den nassen Kleidern steckst oder nackt bist. Jetzt zieh dich endlich aus.«

Diesen einfachen Satz hatte ich bis zu jenem Samstag noch nie von einer Frau gehört. In den Filmen oder den Sexwitzen ergriffen immer die Männer die Initiative und zogen die Frauen aus.

»Du bist ein schöner Junge«, schmeichelte Salma im

Bett. »Deine Nase könnte etwas kleiner sein, deine Augen etwas größer, aber du bist trotzdem der schönste Mann der Welt!« flüsterte sie und drückte mich an ihre schöne warme Brust.

»Du bist auch schön. Wenn dein Lästermaul etwas kleiner wäre, wärst du die schönste Frau der Welt«, sagte ich und kitzelte sie, und wir wälzten uns balgend auf dem breiten Bett. Es waren die wildesten Stunden meines Lebens. Unersättlich waren wir beide, als hätten wir viele Jahre lang aufeinander gewartet.

»Ich habe noch keine Hände so wie deine genossen«, murmelte sie nach dem letzten Liebesspiel. »Noch nie hat mich jemand so zärtlich berührt wie du. Meine Mutter starb bei meiner Geburt, und seitdem bist du der erste, der mich streichelt.

»Und dein Mann?«

»Seine Hände sind aus Feuer. Sie verbrennen mich. Schau mich an. Es gibt keine Stelle an meinem Körper, die er mit seinen Händen nicht verbrannt hat.«

Sie nahm meine rechte Hand und drückte sie an ihre Wangen. »Spürst du das Feuer?«

Ich nickte.

Aleppo, die große Stadt im Norden, gewann langsam meine Zuneigung. Ich kenne die Stadt überhaupt nicht, aber immer, wenn der Mann von Salma nach Aleppo fuhr, schlich ich zu ihr. Als Salma mich beim ersten Treffen nach meinem Alter gefragt hatte, hatte ich sie angelogen. Ich sagte: »Achtzehn!«, obwohl ich gerade erst sechzehn geworden war. Sie war sechsunddreißig Jahre alt.

»Achtzehn Jahre Unterschied«, staunte sie beim zweiten Treffen plötzlich, als hätte sie unser Alter beschäftigt.

»Bei jedem Treffen werde ich ein Jahr älter und du ein Jahr jünger«, sagte ich zu ihr, um mein Unbehagen zu überwinden. Ich hatte den Altersunterschied vergessen, denn Salma war so lustig und voller Träume wie ein junges Mädchen. Sie vergaß ihn aber nicht. Eines Abends meinte sie:

»Jetzt sind wir beide siebenundzwanzig. Ab heute wirst du älter, aber auch wenn du achtzig Jahre alt wirst, werde ich dich lieben!«

Irgend etwas hatte sich in mir verändert. Meine Schwestern behaupteten, ich sei sehr lieb geworden. Meine Schwester Nadia fragte gar, ob ich verliebt sei. Ich habe natürlich alles abgestritten.

Meiner Mutter konnte ich es aber nicht verheimlichen. Sie ist viel zu schlau, um sich mit Erfolgen in der Schule und im Kartenspiel abspeisen zu lassen. Sie wollte die Ursache für meine Heiterkeit genau wissen, und nach dem dritten Kaffee habe ich ihr alles erzählt. Sie streichelte mir den Kopf und flüsterte:

»Paß gut auf dich auf. Ihr Mann wird dir den Hals umdrehen, wenn er dich erwischt.«

Mahmud meckerte, weil ich kaum noch zum Kartenspielen kam und zu seinem Verdruß auch nur wenige drekkige Witze erzählte. Aber auch ihm konnte ich nichts verraten.

»Liebst du mich?« fragte Salma eines Abends.

»Natürlich liebe ich dich.«

»Dann nimm mich mit zu den Lokalen, wo Verliebte sich treffen.«

Ich hatte schon von solchen Lokalen gehört, aber ich war noch nie dort gewesen.

»Sag bloß, du weißt nicht, was ich meine«, neckte sie mich, da ich schwieg.

»Ich? Klar weiß ich das. Wann willst du hingehen?«

»Übermorgen, Sonntag. Ich sage meinem Mann, daß ich meine Tante in der neuen Stadt besuchen will. Er kann sie nicht leiden, deshalb läßt er mich allein zu ihr gehen.«

»Na gut! Dann am Sonntag«, stimmte ich zu.

Wenn man das Thomastor durchschreitet, endet das alte Viertel, wo wir wohnten. Von hier aus erstreckt sich das neue Damaskus der Gärten, besseren Häuser und Lokale. Als lebten zwei fremde Völker nebeneinander, deren Verbindung die Straßenverkäufer waren. Ich nannte einmal das Thomastor »den Eingang nach Paris«. Ich wußte zwar nicht, wie Paris aussieht, aber ich wußte genau, daß die Leute in dem neuen Viertel besser lebten als wir.

Saubere Alleen, Kinos, Theater und Lokale mit bunten Lichtern gibt es nur in der neuen Stadt. In unserem Viertel lebt eine halbe Million Menschen, aber wir haben kein einziges Theater und kein einziges Lokal mit bunten Lichtern. Der Rundfunk plärrt Tag und Nacht vom Sozialismus, und kein Kind meiner Straße glaubt die Sprüche von der Gerechtigkeit.

Ich machte mich am nächsten Tag auf den Weg, um die Lokale zu erkunden und eine Blamage vor Salma zu vermeiden. Mit dem Bus zu fahren ist in Damaskus eine Kunst. Wir nennen die Fahrt deshalb »Reiten und zugleich geritten werden für einen Piaster«. Die Straßen sind oft sehr schlecht, und so holpert der Bus über den welligen Boden, als wollte die Regierung uns ständig daran erinnern, daß wir ursprünglich ein Reitervolk gewesen sind. Nur selten findet man einen freien Sitz. An die hundert Fahrgäste pferchen sich in Busse, deren Konstrukteure höchstens an fünfzig gedacht hatten. Der Fahrgast reitet auf dem Vordermann und wird vom Mitfahrenden hinter sich geritten, so daß die Sardinen in ihren Dosen Mitleid mit den Fahrgästen haben würden.

Der Schaffner ist ein bewundernswürdiger Athlet. Er schlängelt sich, boxt und schwimmt vom vorderen Busteil nach hinten und zurück. Ohne Rast sammelt er die Piaster und stöhnt: »Fertig! Los!«, sobald der Bus an einer Haltestelle ankommt. Er vergewissert sich nicht, ob alle Wartenden an der Haltestelle eingestiegen sind. Wie könnte er es auch im Gewühl der aussteigenden, einsteigenden und weiterfahrenden Fahrgäste wissen.

Durchgerüttelt von der halbstündigen Fahrt stieg ich am Platz der sieben Brunnen aus. Die Lokale im neuen Stadtviertel haben meistens europäische Namen. Ich lungerte ratlos eine Weile herum, dann entschloß ich mich, in das Lokal »Vienna« zu gehen. Eine Treppe führte in das Untergeschoß. Ich war überrascht, als ich die Tür aufmachte, denn es bot sich das Bild einer Konditorei. Bald kam jedoch ein Pärchen aus einer seitlichen Tür heraus, der dunkle Raum dahinter war das eigentliche Lokal. Die Sache mit dem Eintrittspreis erwies sich als Ammenmärchen. Die Tür stand für jeden offen. Das rote gedämpfte Licht machte es mir schwer, den Raum genau zu erkennen, aber nach kurzer Suche fand ich einen freien Tisch. Ich setzte mich und beobachtete den länglichen Raum, in dessen Mitte ein Gang zwei Tischreihen trennte. Jeder Tisch war von dem nächsten durch eine billige spanische Wand abgeschirmt. Ein Pärchen hinter mir stritt über den Hochzeitstermin. Mir schien es, daß die Frau es aus irgendeinem Grund eilig hatte, während der Mann nicht so richtig wollte. Das Pärchen vor mir war ruhiger. Ich hörte nur unverständliches Flüstern.

»Bitte schön«, fragte der Kellner mich barsch.

»Einen Tee bitte«, sagte ich leise.

»Keinen Kuchen?«

»Ja, doch, ein Stück Sahnetorte«, stotterte ich unsicher.

Ich beneidete die Bewohner dieses Viertels, die, so oft sie wollten, in solchen Lokalen sitzen und sich ungestört umarmen konnten und nicht zu warten brauchten, bis der Ehemann nach Aleppo fuhr. Als ich vier Lira für den lauwarmen Tee und die fade schmeckende Sahnetorte bezahlen mußte, schmolz mein Neid zusammen. Für einen Piaster kann ich bei uns im Café den besten Ceylon trinken, und für eine einzige Lira bekomme ich die leckerste Pistazienrolle.

Den Verlust meiner ganzen Ersparnisse verfluchend, eilte ich nach Hause.

Meine Mutter bemerkte als erste meine Unruhe am Sonntag. Sie nahm mich beiseite und steckte mir zwei Lira zu. Verlegen lehnte ich ab, weil ich wußte, wie mühselig sie diese Lira Piaster für Piaster gespart hatte. Aber sie war stur.

»Nimm es. Du sollst Salma verwöhnen können.«

Ich wartete noch einen Augenblick an der Tür, dann folgte ich Salma zur Haltestelle. Ich stand ein Stück von ihr entfernt und wagte sie kaum anzusehen, aber sie schaute immer wieder zu mir herüber und lächelte. Sie sah in ihrem bunten Kleid wunderschön aus. Ziemlich mutig fand ich sie. »Kein Wunder«, dachte ich, »bei einem Mädchen von dreizehn.« Ich war am Freitag, bei unserem letzten Treffen, ein alter Knacker mit einundvierzig Jahren auf dem Buckel geworden.

Als der Bus kam, stieg ich durch die hintere Tür, während Salma durch die vordere einstieg. Sie fand sofort einen Platz, während ich die ganze Fahrt geritten wurde. Aber Männer lassen den Frauen die Sitze oft nicht aus Höflichkeit, sondern aus Verachtung, weil sie die Frauen für zu schwach halten. An der Haltestelle neben dem Lokal »Vienna« stiegen wir aus. Ich ging die Treppe hinunter, und Salma folgte nach ein paar Minuten.

»Ich hielt dich für einen harmlosen Jungen, aber du bist ein gerissener Fuchs. Wie oft warst du schon hier?« waren ihre ersten Worte.

»Oft, aber darüber redet man nicht«, protzte ich leise, da ich Angst hatte, der mufflige Kellner in meiner Nähe würde mich hören und mich verpetzen: »Von wegen oft! Rote Ohren hat der Depp noch gestern bekommen. Er saß allein da wie ein Kaktus in der Wüste. Als ich ihm die Rechnung brachte, wurde er blaß und zählte fünf Minuten lang seine Piaster.«

»Sag! Liebst du eine andere?« Der Ernst in Salmas Stimme überraschte mich. Ich versicherte ihr, daß ich nur sie liebe. Das war auch die Wahrheit. Der Kellner war höflich, und Salma bestellte einen Kuchen und einen Kaffee. Ich begnügte mich mit Orangensaft. Wir redeten lange, und zwischendurch küßten wir uns und lachten. Salma bestellte noch ein Eis und einen Kaffee. Ich wollte sie bitten, mit den Bestellungen aufzuhören, da mein Geld nicht mehr ausreichte, aber sie war schneller.

»Du bist heute mein Gast. Bestell dir was Anständiges anstatt dieser scheußlichen Brühe.«

»Sie ist doch nicht scheußlich!«

»Warum nippst du dann so daran, als wäre sie bittere Medizin?«

»Ich wollte langsam trinken, damit ich nicht noch mal bestellen muß«, erklärte ich ihr und wunderte mich über meine Offenheit, denn über Geldprobleme hatte ich nicht einmal mit meiner Mutter gesprochen. Nie, und wenn ich wochenlang kein Geld hatte, sagte ich irgend jemand etwas über die Ebbe in meinem Geldbeutel. Ich erfand die unmöglichsten Sachen, um nicht mit den Jungen ins Kino gehen oder Kuchen kaufen zu müssen. Warum ich Salma gegenüber so offen war, weiß ich bis heute nicht.

Salma gab mir ihr Portemonnaie. Es waren mehrere Hundertlirascheine und einige kleinere Scheine darin.

»So viel Geld hast du«, wunderte ich mich.

»An Geld fehlt es mir nicht. Er zahlt gut für die Verbrennungen. Nimm dir, soviel du willst«, sagte sie leise. Wütend lehnte ich ihr Angebot ab. Aber sie hatte es nur gut gemeint, und so versöhnten wir uns wieder, und ich nahm ihre Einladung zum Eis an. Seitdem hat sie mir nie wieder Geld angeboten.

»So etwas hast du in deinem ganzen Leben noch nicht gesehen«, erzählte mir Mahmud an einem Nachmittag. Wir standen an seiner Haustür. Ein Geschirrverkäufer hatte Mühe, mitten in einer Traube von aufgeregt schnatternden Frauen die Kinder davon abzuhalten, seine Gläser, Teller und Tassen immer wieder anzufassen. Er rief seine Preise laut aus und schlug mit einem dünnen Zweig auf die Finger der ewig neugierigen Kinder. Salma gesellte sich zu den Frauen und musterte die Gläser. »Es war spät am Nachmittag«, setzte Mahmud seine Geschichte fort, »mein Federball ist auf der Terrasse von Salma hängengeblieben.

Ich ging in den Hof. Die Alte vom Blumenverkäufer war nicht zu sehen. Da stieg ich leise die Treppe hoch. Es war ziemlich dunkel. Plötzlich hörte ich Schreie. Es war Salma. Ich dachte, ihr Mann schlägt sie. Ich schlich auf Zehenspitzen weiter, und da habe ich diesen Bär von Mann gesehen, der auf ihr lag und sie anbrüllte: ›Du wirst schwanger, oder du wirst sterben‹, und dabei auf sie einschlug. Glaubst du das? Geschlagen hat er sie, und sie hat nackt unter ihm gelegen und geweint. Dann hat er wie ein Stier gebrüllt und ist auf die Toilette gegangen. Ich bin dann abgehauen und hab den Federball liegengelassen.«

»Erzähl mir ein Märchen«, sagte Salma eines Abends. Ich hatte immer gerne zugehört, wenn Märchen erzählt wurden, aber noch nie selbst eines erzählt.

»Ich erzähle dir einen Krimi«, bot ich ihr an. Aber sie winkte ab.

»Krimis gibt es genug im Kino und im Fernsehen. Ein Märchen sollst du mir erzählen. Du bist doch jetzt alt genug«, sagte sie verschmitzt, aber es wollte mir nichts einfallen, so viel ich auch überlegte.

»Nein, nicht diese alten, die wir beide kennen, ein neues Märchen will ich hören«, sagte Salma. Wir schwiegen eine Weile, dann richtete sie sich im Bett auf.

»Komm, wir erzählen gemeinsam ein Märchen. Jeder erzählt einen Teil. Ich fange an, dann machst du weiter, dann wieder ich. Und keiner weiß, was der andere erzählen wird.« Ich stimmte zu, da mir die Idee lustig erschien. »Es gab einmal eine Frau, die in einer alten Straße wohnte. Sie war verheiratet und unglücklich, denn ihr Vater hatte sie einfach dem ersten Mann gegeben, der ihn nach ihr fragte. Ihr Vater hatte ihr nie verraten, daß sie eine Prinzessin war, die bei ihm, dem Bauern in den Bergen, aufwuchs, weil ihre Stiefmutter sie umbringen wollte und die Zofen Mitleid mit der jungen Prinzessin hatten und sie zu dem Bauern brachten. So zog die Prinzessin von den fernen Bergen, wo die Wolken sich ausruhen, in diese alte Stadt.

Sie wartete von Tag zu Tag auf die Rettung, denn sie wußte, daß eines Tages ein Prinz kommen und sie aus dem Gefängnis befreien würde. Aber von Jahr zu Jahr wurde sie älter, und der Prinz kam nicht.

Eines Tages dann sah die Prinzessin einen jungen Prinzen, der auch nicht wußte, daß er einer war, denn er wuchs bei einem Bäcker auf und dachte, er sei nur ein ganz gewöhnlicher Schüler.« Salma lächelte und legte ihre Hand auf mein Bein.

»Jetzt bist du dran«, forderte sie mich auf und schloß die Augen.

»Dieser Schüler lebte in der Nähe des Zauberschlosses, in das die Prinzessin eines Tages entführt wurde. Das Zauberschloß sah wie ein kleines Haus aus, aber es war in Wirklichkeit ein Schloß mit hohen unsichtbaren Mauern. Zwei Reihen von Wächtern umzingelten es und ließen nicht einmal eine Ameise vorbeigehen. Sie hatten Augen wie Luchse und Ohren wie Fledermäuse, aber die Prinzessin konnte ihren Geliebten heimlich treffen und die Wächter überlisten. Der Prinz hatte sich schon mit dem ersten Blick in sie verliebt, und so schlich er durch einen geheimen Gang, den nur die Prinzessin kannte, und erlebte mit ihr die schönsten Stunden seines Lebens. Sie konnten sich immer treffen, wenn ihr Gemahl, der König der Straße, seinen Freund, den König von Aleppo, besuchte...«

Ich wußte nicht mehr weiter, aber das hat Salma nicht gestört. Über Monate hinweg erzählten wir abwechselnd das Märchen. Drachen, Hexen und Wunderlampen fehlten nicht im Kampf, den beide gegen ihre Feinde führten. Nach dem Liebesspiel, das uns immer wieder genauso erfüllte wie beim ersten Mal, hockten wir im Bett und erzählten...

Eines Abends kam ich zum Schluß, daß beide aus dem Schloß geflohen waren und in einer anderen Stadt als gewöhnliche Menschen lebten. »Sie bekamen Kinder und lebten glücklich bis zum Ende ihres Lebens.«

Ich küßte Salma, lachte und fragte sie, ob wir mit einem neuen Märchen anfangen sollten.

»Nein, ich will das Märchen, das wir beide erzählten, mit dir erleben.«

Ich dachte zuerst, daß sie scherzte, und sagte ihr, daß wir doch keine Märchen erleben können.

»Und warum nicht?« fragte sie ernst.

»Was heißt hier warum? Wir müssen auf dem Boden bleiben, keine fliegenden Teppiche und keine Hexen können uns helfen. Du hast einen Mann, und ich gehe noch in die Schule.«

»Ich liebe dich aber.«

»Ich dich auch, aber was hat das mit dem Märchen zu tun?« fragte ich zornig.

»Sehr viel. Seitdem ich dich liebe, kann ich das Leben mit meinem Mann nicht mehr ertragen. Seine Schläge schmerzen mehr, und ich will nicht weiter verbrannt werden.«

Salma weinte bitterlich.

»Salma, nun sei doch vernünftig. Hör doch zu, das geht doch nicht. Ich bin doch noch in der Schule.«

»Zum Teufel mit deiner blöden Schule. Ich sage dir, ich kann nicht mehr mit ihm leben, und du redest von der Schule.« Salma schlug sich die Hände vors Gesicht, und ich hatte fürchterliche Angst.

»Bitte beruhige dich und laß uns überlegen.«

»Du liebst mich nicht. Es ist wahr, ich weiß es jetzt, du liebst mich nicht.«

»Doch!« beteuerte ich und fing auch an zu heulen, denn ich wußte nicht, was ich ihr sagen sollte.

»Es gibt nichts zu überlegen. Wenn du mich liebst, hole deinen Koffer und komm! Wir hauen ab, und ich werde dich mein ganzes Leben lang glücklich machen.«

Salma war auf einmal ruhig, sie stand auf, wischte die Tränen aus ihren Augen und ging zum Bild der heiligen Maria. Dort blieb sie wortlos stehen, während ich mich eilig anzog.

»Siehst du? Das war kein Spiel mit dem alt und jung werden. Du bist wirklich alt geworden«, sagte sie zu mir beim Abschied und lächelte traurig. Ich zwang mich dazu, sie auch anzulächeln.

»Beim nächsten Treffen wirst du um ein Jahr älter und ich jünger«, flüsterte ich erleichtert.

»Ein Treffen gibt es nur, wenn du deinen Koffer mitbringst«, sagte sie noch auf der dunklen Treppe zu mir. Ich war froh, daß der Abend nichts Schlimmeres gebracht hatte, und eilte im Schutz der Dunkelheit nach Hause. Ist sie verrückt geworden, oder bin ich zu feige? Warum nicht weglaufen? Wo soll ich als Jugendlicher Arbeit finden, wenn selbst die Erwachsenen in die Golfstaaten gehen, um wie die Sklaven zu arbeiten, damit ihre Familien in Syrien überleben? Die ganze Nacht wälzte ich mich im Bett, und immer, wenn ich entscheiden wollte, zehrte die Angst an meinem Mut.

Tag für Tag wurde Salma abweisender. Sie sah blaß aus, stand nicht mehr am Geländer und schäkerte auch nicht mehr mit den Händlern. Ich sah sie kaum noch lachen.

An einem Nachmittag erfuhr ich, daß ihr Mann wieder nach Aleppo fahren wollte. Ich war gerade beim Lebensmittelhändler, als er hereinkam, um Zigaretten, Tee und Kaffee zu kaufen. Ich war gespannt auf den Augenblick, und als ich sah, daß er das Haus verließ, wartete ich, bis es dunkel wurde, und ging zu Salma. Ich war überrascht, daß Salma allein im Hof saß und die Nachbarn verreist waren.

»Komm, laß uns zu dir gehen«, bat ich sie. Sie schaute mich an und weinte.

»Geh weg, ich will dich nicht mehr sehen. Er hat mich wieder vergewaltigt. Geh jetzt endlich!«

»Salma, laß mich nur kurz zu dir. Ich will dir alles erklären!« bettelte ich.

»Geh zum Teufel mit deiner Erklärung. Geh!« schrie sie laut und verzweifelt, als ich meine Hand auf ihre Schulter legte.

Nach ein paar Tagen kam der Mann zurück. Er fragte

bei den Nachbarn nach seiner Frau, aber keiner wußte, wo sie war. Salma war weggegangen, für immer. Sie hatte weder Schmuck noch Geld mitgenommen. Nur einen Koffer.

Und jedesmal, wenn ich Aleppo höre, hasse ich meine Feigheit.

## Nüsse oder Paradies – das ist hier die Frage

Ich hasse es, am frühen Morgen zum Bohnenverkäufer* zu gehen, um gekochte Saubohnen zu holen. Nicht nur wegen des muffigen Verkäufers Gibran, sondern weil ich Bohnen nicht ausstehen kann. Andere Kinder schwärmen davon, mich bringt der derbe Geruch fast zum Erbrechen.

»Leila hat Fieber, beeile dich!« stöhnte meine gehetzte Mutter und hielt mir eine große Schüssel entgegen.

Mehrere Kinder standen schon in dem kleinen Laden und warteten auf ihre Saubohnen, den Kichererbsenbrei oder Brotsuppe. Gibran hatte mit seinem Gehilfen alle Hände voll zu tun. Der dickliche Geselle hinkte hin und her, wischte sich mit seinem Ärmel den Schweiß von der Stirn und antwortete nur mit Gejammer auf die Nörgelei seines Meisters, dem alles zu langsam war. Der Gehilfe reichte die Schüsseln seinem Chef, schlug die Kichererbsen in einem großen Mörser und übergoß das Brot mit der gelblichen Soße der Erbsen. Gibran nahm die Geldscheine entgegen, warf sie in einen Kasten und verteilte Bohnen und Erbsen in Schüsseln und Teller. Dieser Mann lachte nie. Ich jedenfalls habe ihn nie lachen gesehen. Onkel Salim amüsierte sich oft über seine dauernde schlechte Laune.

»Irgendein Idiot brachte ihm die Weisheit bei, daß Lachen Geld kostet, und dieser Esel spart damit.«

Ja, reich ist dieser Gibran. Er soll mehrere Häuser besitzen, und all das mit den Bohnen und Erbsen verdient haben. Die Nachbarn können seine Launen auch nicht leiden, aber die Bohnen und Erbsen schmecken bei ihm am

* Gemeint sind die kleinen Läden und Restaurants in Syrien, in denen gekochte Saubohnen (Ful) und Kichererbsen (Humuss) verkauft werden. Die Nachbarschaft holt dort diese schwerverdaulichen, aber exzellent schmeckenden Gerichte zum Frühstück.

besten. Er kocht sie nach einem alten Rezept. So stehen die Leute Schlange, obwohl noch zwei weitere Bohnenverkäufer ihre Gerichte in unserer Straße feilhalten. Bei diesen kaufen aber nur Fremde.

Ungeduldig warteten die Kinder, und jedes war bemüht, sich nach vorne an die verschmierte Theke zu drängeln. Gibran nahm die Lirascheine entgegen und gab dafür Bohnen und Erbsen heraus. Seine Preise waren einfach zu merken: drei Kellen Bohnen oder vier mit Kichererbsen kosteten eine Lira. Gibran nörgelte immer über die großen Schüsseln, die wir trugen, irgendwie klagte die gähnende Leere der Schüsseln seinen Geiz an.

»Was glaubst du denn? Soll ich dir deine Badewanne für eine lausige Lira mit Bohnen füllen?«

Mir sagte er auch oft:

»Sage deiner Mutter, für eine volle Schüssel wie die da muß sie zehn Lira zahlen!«

All die Bemühungen unserer Mütter, durch große Schüsseln das Herz dieses Knickers zu erweichen, scheiterten an seinen geübten Händen. Genau drei Kellen Bohnen, und wenn eine Bohne aus Mitleid sich noch hineinschummeln wollte, pickte er sie mit einem gekonnten Schlag seiner Kelle wieder heraus und warf sie in den großen Topf zurück.

Als ich an diesem Tag an der Reihe war, streckte ich ihm meine Lira entgegen. Meine Bohnenschüssel war fertig. Gibran gab mir die Schüssel, nahm jedoch die Lira nicht. In diesem Augenblick nämlich erwischte er Georg, der schnell eine Handvoll Erbsen in seinen Mund stopfte.

»Deine Gier soll dein Vater zahlen«, keifte er und drückte mir meine volle Schüssel in die Hände.

»Eine halbe Kelle hast du schon gefressen«, fügte er hinzu und nahm mit einem Schlag aus den gehäuften Erbsen eine halbe Kelle wieder heraus. Ich wußte nicht, wie ich mich verhalten sollte, denn ich hielt meine Lira immer noch in meiner Hand. Sollte ich mit den Bohnen einfach weggehen? Gibran lachte schadenfroh über Georg, der mit größter Mühe die heißen Erbsen zu schlucken versuchte. Das war das erste Mal, daß ich das grelle Lachen dieses Mannes hörte. Langsam schob ich mich durch die drängelnden Kinder zur Tür hinaus.

Den Liraschein hielt ich fest zwischen meine flache Hand und die warme Schüssel gedrückt. Ich beeilte mich, war aber noch nicht einmal zehn Schritte weit gekommen, als ich ein lautes »Halt« hörte. Ich blieb stehen und zitterte am ganzen Leib. Der dickliche Gehilfe humpelte eilig auf mich zu.

»Hast du deine Lira gegeben?«

»Natürlich habe ich das getan.«

»Meister Gibran glaubt, er hat es beim Lachen vergessen.«

»Doch, ich habe bezahlt. Er gibt nie die Bohnen, bevor er die Lira in der Hand hat«, sagte ich gelassen.

»Ja... das weiß ich, aber laß mal sehen«, knurrte er, und bevor ich wissen konnte, was er wollte, steckte er seine fettige Hand in meine rechte Hosentasche.

»Laß mich sehen«, flüsterte er. Sein Schweiß roch penetrant. Er steckte die Hand auch in meine linke Hosentasche.

»Hier ist auch nichts«, murrte er und lugte in meine Hemdtasche, deren Saum so aufgerissen war, daß sich darin keine Lira, nicht einmal ein Piaster verstecken konnte.

»Vielleicht hast du sie in deinen Schuhen versteckt?« rief der Gehilfe und schaute auf meine Sandalen.

»Hier kann man doch keine Lira verstecken!« rief ich und zog die locker gebundenen Sandalen mit einem Ruck aus. Erst den rechten, dann den linken klopfte der Gehilfe auf den Boden in der Hoffnung, die Lira würde herausfallen. Fluchend richtete er sich auf.

»Schwöre bei Gott, daß du die Lira nicht hast!«

Ich schwor und lachte. Mein Lachen verunsicherte ihn.

»Warum lachst du?« fragte er mißtrauisch.

»Ich lege meine Hand nicht auf die Bibel, sondern auf die warme Bohnenschüssel. Gilt der Schwur noch?«

»Das weiß ich doch nicht!« brummte der Gehilfe, fluchte über seinen Meister und ging humpelnd in den Laden zurück.

»Gibst du ihm die Lira und gewinnst das Paradies, oder du genießt eine ganze Woche lang Nüsse und handelst dir dafür die Hölle ein«, ging es mir durch den Kopf. Ich hatte mich schon für die Nüsse entschieden, bevor der Gehilfe meine Schuhe ausgeklopft hatte und ich sicher war, daß er nie darauf kommen würde, daß die Lira direkt vor seiner Nase war.

Onkel Salim hatte recht.

»Der sicherste Platz, um etwas zu verstecken, ist der auffälligste, darauf kommt keiner«, sagte er immer wieder und erzählte uns, wie er sich versteckt hatte, als er in die osmanische Armee eingezogen werden sollte. Wer hätte auch darauf kommen sollen, daß er unter dem Rock seiner Frau kauerte, während sie am Webstuhl saß. Nein, nicht deswegen hatte ich gelacht, sondern wegen Jusef, meinem Freund.

Während ich bei Gott schwor, mußte ich an Jusefs Geschichte denken, und das reizte mich zum Lachen.

Jusef ist Halbwaise. Sein Vater starb kurz nach Jusefs Geburt. Seine Mutter war eine arme Wäscherin, und je mehr Reiche Waschmaschinen kauften, um so weniger Arbeit bekam sie. Aber je ärmer sie wurde, desto frommer wurde sie. Jusef mußte die Schule verlassen, um auch Geld zu verdienen, und da er bei keinem Handwerker Arbeit fand, handelte er mit Hühnern.

Jeden Tag kaufte er beim Hühnerhändler ein Huhn für vier Lira und machte den beschwerlichen Weg zum Reichenviertel. Dort rief er: »Frische Hühner vom Dorf!« und verkaufte das Huhn für sieben Lira, und wenn manche feinen Familien verlangten, daß er das Huhn schlachten sollte, weil sie Angst vor dem Blut hatten, tat er das für ein paar Piaster mehr.

Von den drei verdienten Lira lebte er mit seiner Mutter sehr bescheiden, und am nächsten Tag kaufte er wieder ein Huhn.

An Tagen, an denen er Glück hatte und zwei Hühner loswerden konnte, kaufte er Hackfleisch, und dann konnte man den würzigen Duft aus der Küche der alten Mutter riechen, und sie sang an solchen Tagen fröhliche Lieder.

Jusef war ein bildhübscher Junge, der schönste von uns allen. Wir neckten ihn immer, daß er nur deshalb manchmal zwei Hühner verkaufen würde, weil die reichen Tanten ihn befummeln durften, und er ärgerte sich darüber.

»Ihr seid Idioten. So dick ist die Creme auf ihren Gesichtern, daß ich lieber ein Nilpferd umarmen würde!! Ich belüge sie alle. Hier, meine Hühner vom Dorf in den Bergen, rufe ich, und sie greifen gierig nach den Hühnern.«

Eines Tages rief ihm eine Frau vom Fenster des zweiten Stockes zu, er solle heraufkommen. Jusef beeilte sich, und die Frau wartete hinter der nur einen kleinen Spalt breit geöffneten Tür. »Komm herein, Junge«, rief die Frau, und Jusef wunderte sich über ihr dünnes Kleid. Er ging in die Wohnung, und bereits nach einem Blick wußte er: eine reiche Frau.

»Wieviel willst du für das Huhn, schöner Junge?« flüsterte die Frau schmeichelnd.

»Zehn Lira«, sagte Jusef, als die Frau die Tür hinter ihm schloß.

»Und wie wäre es mit fünf?« flüsterte sie und kniff ihm zärtlich in die Wange.

»Nein, das geht nicht. Mein Vater hat für das Küken schon fünf Lira bezahlt, und er fütterte das Huhn drei Monate lang mit den besten Körnern«, sagte Jusef routiniert.

»Aber, lieber Junge, sieben Lira sind genug. Ich muß schnell das Mittagessen für einen Gast machen, und ich habe...«

»Zehn Lira, oder ich verkaufe nicht. Wir müssen auch essen. Meine Mama wartet schon auf mich«, log Jusef wie immer.

»Ach, wie hartherzig ihr Armen seid. Geld ist doch nicht alles...«, erwiderte die Frau.

Jusef wollte widersprechen, da klingelte es aufdringlich an der Tür. Die Frau wurde blaß.

»Oh Gott! Mein Mann! Wenn er dich sieht, bringt er mich um. Geh in den Schrank hinein, schnell«, rief sie und schubste den verdutzten Jusef in einen großen Kleiderschrank.

Mit dem Huhn in der Hand stand Jusef nun inmitten zerwühlter, langer Kleider, die stark nach Parfüm rochen. Er hörte, wie die Frau ihren von einer Reise zurückgekehrten Ehemann fröhlich empfing. Im Schrank war es nicht ganz dunkel, durch eine kleine Öffnung in der Tür fiel etwas Licht in das Schrankinnere.

Plötzlich bemerkte Jusef, daß er nicht allein im Schrank war, er hörte jemanden atmen.

Er schob ein Kleid beiseite und sah den nackten Mann, der mit ihm das Versteck teilte. Der Mann trug seine Kleider zusammengeknüllt in einer Hand, und mit der anderen legte er flehend den Zeigefinger an die Lippen.

»Was machst du hier?« flüsterte Jusef überrascht.

»Leise doch! Sonst stürzt du uns ins Unglück!« flehte der Mann, und meinem Freund schoß eine gute Idee durch den Kopf. »Und wenn uns jemand hört! Kaufst du das Huhn?« herrschte Jusef sein Gegenüber an.

»Leise doch! Huhn? Was soll ich hier mit einem Huhn?«

»Du kaufst es, oder ich schreie!« drohte Jusef.

»Na gut. Ich kaufe es, wieviel willst du?« fragte der Mann und fischte umständlich sein Portemonnaie aus der zusammengeknüllten Jacke heraus.

»Zwanzig Lira!« sagte Jusef bestimmt.

»Zwanzig? Bist du wahnsinnig? Für dieses ausgemergelte Huhn? Gerade hast du noch zehn dafür verlangt!«

»Zwanzig oder ich schreie!«

»Na gut! Hier sind zwanzig«, flüsterte der Mann, gab Jusef das Geld und nahm das Huhn. Seine Kleider fielen ihm dabei auf seine nackten Füße.

»Verkaufst du das ausgemergelte Huhn?« fragte Jusef nach einer Weile.

»Wieso verkaufen? Aber meinetwegen, gib mir die zwanzig Lira zurück«, stöhnte der Mann. »Aber sei doch endlich ruhig.«

»Wieso zwanzig? Fünf Lira sind doch genug für dieses beschissene Huhn!«

»Ich habe dir gerade zwanzig dafür bezahlt!« zürnte der Mann, und Jusef sah im dämmrigen Licht die Schweißperlen auf der Stirn des Wütenden.

»Fünf, oder ich schreie.«

»Na gut! Hier ist dein Huhn, aber sei doch still.«

»Kaufst du das Huhn wieder?«

»Du bist vielleicht ein verrückter Junge, was soll das...?«

»Zwanzig, oder ich schreie.«

Der Mann zahlte, da er hörte, wie der Ehemann im Wohnzimmer laut redete.

Jusef ließ nicht locker, er kaufte und verkaufte das Huhn ein paar Mal, und bei jedem Gang konnte er fünfzehn Lira beiseite legen.

Als nun der Ehemann sich von seiner Frau verabschiedete und laut und zärtlich: »Bis heute abend, Liebling« rief, stürmte Jusef aus dem Schrank und rannte hinaus. Das Huhn behielt der nackte Mann in der Hand.

Fünfundsiebzig Lira hatte Jusef durch seinen klugen Handel im Kleiderschrank verdient. Er war ein braver Junge, und so legte er seiner Mutter seinen Schatz vor und strahlte über das ganze Gesicht.

»Ein reicher Mann fand Gefallen an dem Huhn, und er gab mir fünfundsiebzig Lira dafür«, sagte er knapp und ehrlich, aber die Mutter heulte und schwor, das Geld nicht anzutasten, bis Jusef beim Pfarrer gebeichtet hätte. Die Beteuerung Jusefs, er habe das Geld im Schweiße seines Angesichts verdient, wollte ihm die Mutter nicht glauben.

Aber Jusef war ein guter Händler, und so konnte er mit seiner Mutter ein Abkommen treffen. Sie würde das Geld behalten und nicht der Kirche geben, und er würde zum Pfarrer gehen und die Wahrheit beichten.

Jusef ging tatsächlich in die Kirche, kniete im Beichtstuhl nieder und begann die wahre Geschichte zu erzählen.

»Herr Pfarrer. Ich habe nie geklaut. Ich habe mein Geld immer ehrlich verdient. Meine Mutter ist sehr arm, und weil ich einmal mehr verdient habe, glaubt sie, ich hätte das Geld geklaut.«

»Und wo hast du das Geld verdient, mein Sohn?« fragte der Pfarrer gütig.

»Im Kleiderschrank! Die Frau hat Angst vor ihrem Mann gehabt! Nein! Das heißt, ich wollte doch nur ein Huhn verkaufen...«

»Ein Huhn! Verfolgst du mich bis hierher! Warte, du Schweinehund«, schrie der Pfarrer laut und schlug auf Jusef ein.

Nein, von meiner gewonnenen Lira konnte ich nicht einmal meiner Mutter erzählen, auch wenn sie mir verziehen hätte unter der Bedingung, daß ich es beichte. Es ginge trotzdem nicht. Der neue Pfarrer unserer kleinen Kirche ist nämlich der Bruder von Gibran.

»Nein, lieber die Nüsse«, dachte ich und eilte nach Hause.

## Bukra*, der König der Zukunft

Onkel Salim wollte ein Radio aus der Werkstatt abholen. Seit Wochen war das alte Gerät in Reparatur, und Onkel Salim konnte anscheinend ohne Nachrichten nicht leben. Er hörte nur Nachrichten. Lieder und Musik mochte er nicht, außer von dem alten ägyptischen Sänger Saijed Darwisch, dessen Lieder aber nur selten gesendet wurden.

Als hätte er mit siebzig noch nicht genug gehört, verpaßte er keine Nachrichten-Sendung vom frühen Morgen an bis tief in die Nacht hinein.

Onkel Salim hörte die Nachrichten, als wären sie eine heilige Messe. Ganz nah am Radio saß er, sprach nicht und starrte sinnend das Gerät an. Er hörte nie die syrischen Nachrichten, sondern suchte so lange, bis er den israelischen Rundfunk oder BBC-London hören konnte. Eines Tages tadelte ihn ein Nachbar, daß er immer nur Feinde höre. Onkel Salim lachte laut und fragte den verdutzten Mann, ob er Alexander den Großen kenne. Der Nachbar sagte, er kenne nur Alexander den Schmied, und dieser sei der größte Gauner der Welt, aber Onkel Salim hatte nicht den einäugigen Schmied, sondern den griechischen Eroberer gemeint, der gesagt haben soll, er liebe seine Feinde, weil sie ihm seine Schwächen nicht verschweigen.

Seit Wochen nun stand er immer wieder still im Hof und hörte angestrengt den Nachrichten aus den Radios der Nachbarn zu, aber der Lärm der Kinder störte ihn.

Ja, Onkel Salim liebte die Nachrichten regelrecht, und er sprach oft komisch über Politik.

»Dieser Krieg mit Israel wird noch lange dauern. In fünfzig Jahren werden wir noch das Brot der Armen essen und die Waffen der Reichen benutzen. Welche Dummheit regiert doch über uns.«

* Bukra bedeutet in der Umgangssprache von Damaskus: morgen

»Aber die neue Regierung sagt doch, sie werde Palästina befreien.«

»Das kann sie nicht ernst gemeint haben, oder kennt sie Israel nicht? Vielleicht hört die Regierung nur ihre eigenen Nachrichten.«

»Doch, sie meint es ernst. In der Schule erzählt man, daß der Militärdienst nicht wie bisher zwei Jahre, sondern bis zum Sieg dauern soll.«

»Bis zum was?«

»Bis zum Sieg!« wiederholte ich.

»Die armen Soldaten. Sie müssen also lebenslänglich dienen.«

So eigenwillig äußerte er sich zu allen Fragen der Politik, bis sein Radio verstummte. Da wurde er immer wortkarger, und es schien, als wäre seine Zunge ohne Radio schwerer geworden. Endlich kam der Tag, an dem es fertig sein sollte. Ich eilte dem alten Mann zu Hilfe, und er freute sich ungemein, daß ich ihm den schweren Kasten tragen wollte.

Die Elektrowerkstatt war zwar sehr klein, aber alles glänzte, als wäre es eine Apotheke. Der große Besitzer sah jedoch eher wie ein Metzger aus. Ich wunderte mich, wie er mit diesen Händen in den kleinen Geräten herumhantieren konnte, ohne alles plattzudrücken. Als er Onkel Salim sah, strahlte er.

»Was für eine Ehre für mich, daß du mich besuchst.«

Onkel Salim schien die Schmeichelei nicht zu hören.

»Ist das Radio fertig?« fragte er trocken.

»Na ja, wie soll ich es sagen, fast... ja, fast fertig, aber morgen wird es bestimmt fertig. Ja, morgen, ich schwöre bei Gott und der Gesundheit meiner Kinder: morgen und keine Stunde später! Weißt du, ich habe viel...«

»Laß deine Kinder aus dem Spiel, ja«, herrschte ihn Onkel Salim mit zitternden Lippen an. »Vor einer Woche hieß es morgen, vorvorgestern sagtest du morgen, und was hast du gestern gesagt? Hm? Morgen hast du gesagt. Jetzt fällt dir auch nichts ein außer morgen. Verflucht sei das Morgen in seinem Grab. Ich will mein Radio jetzt, und zwar repariert, verstehst du?«

Natürlich hatte der Mann verstanden, aber er zog eine saure Miene.

»Warum so böse, Opa? Morgen ist auch ein Tag, was macht das schon aus? Als ob die Welt ausgerechnet heute untergehen soll«, er lachte laut, aber das beeindruckte Onkel Salim nicht.

»Und wenn die Welt untergeht. Ich will es wissen, als erster wissen, junger Mann.«

»Ja, dann komm morgen und hole deinen alten Kasten ab.«

»Sage nicht noch mal morgen, sage in einem Jahr, und ich komme in einem Jahr, aber sage nicht morgen, das hasse ich. Ich bleibe hier bis morgen.« Onkel Salim sagte dies und setzte sich auf ein altes Fernsehgerät. Ich war überrascht, nicht minder der Geschäftsinhaber.

»He, Opa, was machst du da? Du zerdrückst ja den Fernseher noch. Weißt du, wieviel das Ding kostet? Wenn du schon sitzen willst, dann nimm wenigstens den Hokker!« sagte er barsch und stellte dem alten Mann einen Hocker hin, aber Onkel Salim würdigte ihn keines Blickes. Er holte eine Zigarette aus seiner Westentasche, zündete sie an, und wandte sich zu mir.

»Junger Freund, geh nach Hause, ich übernachte hier.«

Der Mann wurde rot im Gesicht. Ich wollte nicht weggehen. Meine Mutter hatte einmal zu mir gesagt, auch wenn ein Freund in seiner Verzweiflung dir sagt, du sollst ihn alleine lassen, tue es nicht. Ich hatte Angst, der Mann könnte Onkel Salim hinauswerfen. Ich schaute mich um. Eine Eisenstange stand in der Ecke. Ich dachte, wenn dieser Schlägertyp Onkel Salim auch nur anfaßt, haue ich alles kurz und klein. Meine Angst war jedoch unbegründet, denn der Mann wurde plötzlich sehr freundlich und schwor bei allen Heiligen, daß er das Radio morgen fertig haben würde. Aber Onkel Salim wurde immer sturer, so daß ich Mitleid mit dem armen Handwerker bekam, dessen Frau im Krankenhaus lag und dessen Geschäft so schlecht ging, daß er jeden Nachmittag als Taxifahrer arbeiten mußte. Das alles hatte er jammernd erzählt, aber Onkel Salim war auf einmal taub.

»Ich will mein Radio jetzt!« wiederholte er nach den Ausführungen des Mannes. Die Asche warf er auf den Boden, als sähe er den Aschenbecher nicht, den ihm der Mann hingestellt hatte. Das tut Onkel Salim immer bei Leuten, die er nicht mag. »Entschuldige bitte, ich bin kurzsichtig«, sagte er immer wieder und traf mit der Asche daneben.

»Schon gut, schon gut, ich lasse die anderen Sachen liegen und repariere dir dein Radio«, sagte der Mann und machte sich an die Arbeit. Nach einer halben Stunde war er fertig, und das Radio plärrte wie verrückt. Erst jetzt fing Onkel Salim an, die Asche seiner dritten Zigarette sorgfältig in den Teller zu kippen.

»Was soll ich den anderen Kunden sagen?« stöhnte der Ladenbesitzer.

»Sag ihnen alles, aber nicht morgen, damit spaßt man nicht!« empfahl ihm Onkel Salim und gab die geforderten zehn Lira ohne Wenn und Aber. Ich trug das Radio. Ein schweres Ding war das. Als wir nach Haus kamen, war es ziemlich spät. Ich wollte gehen, aber Onkel Salim ließ es nicht zu.

»Erst höre ich die Acht-Uhr-Nachrichten, dann mache ich dir einen guten Tee. Ist das nichts?« Ich lehnte ab, aber Onkel Salim schaute mich an: »Ich wollte dir eigentlich die Geschichte von König Bukra erzählen, na ja, es ist eine alte Geschichte, vielleicht magst du alte Geschichten nicht.«

Dabei wußte der alte Gauner ganz genau, daß ich für eine gute alte Geschichte mein Essen lasse. Ich eilte nach Hause und gab meiner Mutter Bescheid.

Als ich zurückkam, hatte Onkel Salim den Tee schon gekocht, und er lächelte breit, denn er wußte nun einiges mehr über Nigeria. Gerade als er anfangen wollte, trat

Mahmud in das kleine Zimmer; er grüßte leise und zeigte mir seinen Schatz, zwei Zigaretten, mit Filter!

»Du kommst wie gerufen«, grüßte ihn Onkel Salim, als hätte er meine Gedanken geahnt. Er goß den Tee ein und erzählte die Geschichte von König Bukra:

»Es war einmal ein König. Er herrschte über ein großes Reich. Es regnete viel in diesem Land, und der Boden gab genug Weizen und Gemüse, Obst und Mais. Die Schafe hatten genug Weiden und wurden fett und warfen gesunde Lämmer. Nur, die Mehrheit der Bauern mußte hungern. Der König ließ nämlich die Hälfte der Ernte und der neugeborenen Tiere beschlagnahmen. Er brauchte viel Geld für seine Schlösser. Mit der Zeit flüchteten viele Bauernburschen in die Hauptstadt, um Arbeit zu suchen. Die Hauptstadt aber war in der Mitte geteilt. Eine hohe Mauer trennte die Hütten der Armen von den Palästen der Reichen. Die Armen durften bei Sonnenaufgang durch das große Tor gehen und bei den Reichen arbeiten, aber keiner der armen Teufel durfte bei Sonnenuntergang in der reichen Hälfte angetroffen werden. Die Wächter warfen jeden Zerlumpten ins Gefängnis, den sie in der feinen Gegend am Abend erwischten.

Eines Tages beschloß der König, seine Urahnen zu ehren. Baumeister, Gelehrte und Architekten arbeiteten Pläne für einen Ahnenpark aus. Die Armen freuten sich, daß es nun mehr Arbeit für sie gab. Tausende arbeiteten Tag für Tag in diesem gewaltigen Park. Aus Marmorsteinen wurden Ritter, Dichter und Philosophen gemeißelt. Die Gelehrten gaben genaue Anweisungen, wie die Dichter aussehen sollten und welche Schlachten mit welchen Waffen von den Ahnen und Urahnen gewonnen worden waren. Flüsse, die es damals gab, Vögel und Tiere wurden in Marmor verewigt, und die Gelehrten suchten in alten Büchern und gaben Anweisungen, so daß kein Dichter, kein Denker und keine Schlacht vergessen wurde. Nicht einmal die Schweiß- und Blutstropfen der Krieger wurden weggelassen.

Jahr für Jahr arbeiteten die Menschen an diesem Wunderwerk, und der Platz wuchs zu einem Meer aus Marmor. Der König war bei der Eröffnung überaus stolz. Er stolzierte inmitten seiner ausländischen Gäste umher und zeigte die ruhmreiche Geschichte seiner Eltern, Großeltern und Urgroßeltern.

Der Zugang zum Ahnenpark war für alle frei. Arme wie Reiche gingen an den Feiertagen dort spazieren, denn es gab keine einzige Mauer.

Der Aufbau hatte natürlich eine Unmenge Geld verschlungen, und da der König deswegen Schulden machen mußte, schröpfte er die Bauern immer mehr. Viele von ihnen flüchteten in die Stadt, da sie auf dem Land hätten verhungern müssen. Die Stadt konnte aber nicht mehr Arbeit für all die Menschen anbieten. So fingen die Armen an zu murren.

Eines Tages tauchte ein edler Ritter im Stadtteil der Armen auf.

›Zum Teufel mit der Mauer‹, rief er.

Viele, die sich nach dem verlockenden Obst der Gärten sehnten, jubelten begeistert.

›Stürzt diesen alten Gauner, und ihr werdet satt. Ich, der Ritter der Hoffnung, Bukra, verspreche euch, die Zukunft gehört euch!‹

Die Hungrigen liefen Sturm, die Wache verteidigte in blutigen, verbissenen Kämpfen den Herrscher, aber der Zorn der Ausgebeuteten war stärker als die Waffen der Wächter. Nach ein paar Tagen floh der König aus dem Land, und die Armen riefen den Ritter Bukra zum König aus.

Am nächsten Tag wachten die Bewohner der armen Stadtviertel auf und staunten. Die Mauer war wie weggezaubert, und die Wächter zogen in ihren bunten Kleidern lächelnd durch die Straßen und grüßten die Armen. Noch mehr staunten die Bewohner der Hauptstadt über einen Palast, der am Vortag noch nicht dagewesen war. Ein großer Palast, dessen höchster Turm in leuchtenden Buchstaben die Aufschrift trug: ›Heil dir, Bukra, dem König der Zukunft.‹ Der Palast schien über einer großen Nebelwolke zu schweben. Kein Wächter bewachte seine Tore. Als einige Neugierige es wagten, sich dem Palast zu nähern, staunten sie noch mehr. Je näher sie kamen, desto weiter rückte er weg. Er schwebte leicht wie eine Feder über dem Nebel. Nicht einmal mit dem schnellsten Pferd konnte man den Palast einholen. Aber ob fern oder nah, am Tag wie in der Nacht, alle Bewohner der Hauptstadt und der fernen Dörfer konnten die leuchtenden Buchstaben lesen.

›Habt keine Angst mehr, arbeitet fleißig, dann werdet ihr der Zukunft und seiner Majestät würdig‹, lasen die Leute auf bunten Plakaten, auf denen die Zukunft abgebildet war: ein Garten, in dem die Gäste von hübschen Frauen bedient wurden und nur zu essen und zu spielen schienen, denn auf keinem der Plakate sah man jemanden mit Hacke oder Sense. Die Leute schauten diese bunten Bilder an und stöhnten voller Sehnsucht.

Nach ein paar Wochen erzählten dann einige, sie seien, da sie fleißig gewesen waren, auserwählt worden, ein paar Stunden im Palast zu verbringen, und es sei noch viel schöner, als auf den Plakaten gezeigt.

Nur wenige glaubten diesen Erzählungen. Aber alle wünschten sich insgeheim, doch ein paar Tage im Paradies zu verbringen.

Der König war ein weiser Mann. Er verbot den Leuten nur eines: das Reden über Tomaten, sonst könnten sie reden, worüber sie wollten. Es war sogar erlaubt, auf den König zu schimpfen, nur nicht über Tomaten zu reden.

Die Leute aßen gerne Tomaten. Man machte nicht nur Salat daraus, Hunderte von Gerichten werden erst schmackhaft, wenn man Tomaten dazugibt. Als der König das Reden über Tomaten verbot, zuckten viele die Schultern.

›Meinetwegen. Ich rede sowieso nicht über Tomaten. Entweder sie sind da oder nicht.‹

Die beliebte Frucht wurde teurer, aber keiner sprach

darüber, denn so barmherzig der König selbst gegen seine Beleidiger war, so gnadenlos ging seine Wache mit jedem um, der sich über den Preis oder den schlechter werdenden Geschmack der Tomaten beschwerte. Sie verhafteten den Schuldigen, und der verschwand für immer hinter Gittern.

Im dritten Monat seiner Herrschaft rühmte sich König Bukra in einer Rede, daß in seinem Reich alle die Freiheit hätten zu gehen, wohin sie wollten. Der Park der Geschichte gehöre nicht nur den Ahnen des gestürzten Königs, auch einfache Leute aus vergangenen Zeiten würden bei ihrer Arbeit in Marmor dargestellt. Man sehe Schlosser, Bauern, Bäcker und Fischer.

Am Ende seiner Rede verbot der König das Reden über Kartoffeln, denn sein Volk solle sich lieber mit seiner großartigen Zukunft beschäftigen.

›Nur Idioten beschäftigen sich mit einer schmutzigen Knolle.‹

›Betrüger‹, rief ein Ritter aus edler Familie. Er hieß Kaled. ›Ich glaube dir kein einziges Wort, wo ist diese Zukunft, von der du so schwärmst? Gut, wir werden kein Wort mehr über Tomaten, Kartoffeln und meinetwegen auch nicht mehr über den teurer werdenden Weizen reden, aber wo ist diese Zukunft? Dreimal habe ich mit meinen Knechten versucht, deinen Palast auch nur anzufassen, aber er schwebte hinweg.‹

Die Gäste des Königs zogen die Augenbrauen zusammen, denn alle dachten, es würde gleich Mord und Totschlag geben. Nichts dergleichen. Der König lachte laut.

›Ritter Kaled, du glaubst mir nicht, weil du der Zukunft nicht würdig bist, aber ich werde dich überzeugen. Du bist für zwei Wochen Gast bei mir im Reich der Zukunft.‹

Als die Wache den Ritter umzingelte, fing er an zu schreien: ›Er lügt, er wird mich umbringen. Rettet mich, ich wollte euch doch nur von seinem Joch befreien.‹

Ein mutiger Schlossergeselle stürmte auf die Wache zu, um den Ritter zu befreien, aber die Wächter durchbohrten ihn mit ihren Lanzen, und viele hielten an jenem Abend den Ritter Kaled für einen toten Mann. Nicht lange zweifelten die Untertanen an den Worten ihres Königs, denn am nächsten Tag hingen große Plakate überall in der Stadt, auf denen der König und der Ritter Kaled zu sehen waren. Beide schienen sich an der reichlich gedeckten Tafel zu amüsieren. Am zweiten Tag hingen wieder Plakate überall, auf denen der Ritter etwas dicker aussah. Er saß noch am Tisch, und ein Wesir war sein Tischpartner. Am dritten Tag sah Kaled rundlich wie ein Ball aus. Er hatte die bunten Kleider eines Hofnarren an und aß gierig die Reste, die der König und seine Gäste übrig ließen. Als Ritter Kaled nach zwei Wochen wieder auf die Straße geworfen wurde, rollte er dahin wie ein praller Ball. Er rief wütend: ›Der König ist ein Betrüger‹, aber die Leute lachten über ihn und stießen ihn hin und her.

So warteten alle geduldig auf die Zukunft. Sie waren sicher, daß sie kommen würde und großartig sein mußte, da der Marmorgarten sie überzeugte, daß sie einem uralten, ruhmreichen Volk angehörten. Als der König es dann verbot, über Weizen zu reden, murrten einige, aber viele dachten, es würde bald wieder besser werden.

Eines Tages ging eine Mutter mit ihrer jungen Tochter über die Straße. Das Mädchen sah eine Kiste voller Tomaten in einem teuren Gemüsegeschäft. So gerne wollte sie eine der Fleischtomaten haben, aber die Mutter zerrte sie am Ärmel, denn sie konnte die Tomate nicht bezahlen.

›Später! Später werden wir Geld bekommen, und ich werde dir zehn dieser herrlichen Tomaten kaufen.‹

›Du sagst immer später. Ich will jetzt die Tomate haben‹, maulte das Mädchen und stemmte sich gegen die Mutter.

Die schaute sich besorgt um, denn sie hörte schon die galoppierenden Pferde der Wächter. Sie umzingelten die verängstigte Mutter und wollten ihr Kind abführen, aber das flinke Mädchen entkam ihrem Griff und rannte in die Gassen. Es schrie ganz laut:

›Ich will meine Tomate jetzt haben!‹

Die spielenden Kinder sahen das Mädchen. Sie warfen

ihre Murmeln und Bälle beiseite und stürmten vor den Wächtern durch die verwinkelten Gassen und riefen laut:

›Wir wollen Tomaten, jetzt‹, und von Gasse zu Gasse wurden die Rufe lauter, und die Wächter wußten nicht mehr, wem sie zuerst folgen sollten. Zum Schluß konnte man nicht mehr erkennen, wer wem folgte, die Wächter den Kindern oder die Kinder den Wächtern. Schließlich schlossen sich auch einige Erwachsene den Kindern an und riefen laut:

›Wir wollen jetzt die Tomaten! Jetzt Jetzt! Jetzt!‹

Die Stimmen wurden so bedrohlich und laut, daß dem König nichts anderes übrig blieb als schnellstmöglichst mitsamt seinem Schloß zu flüchten.

Die Bewohner dieses Landes aber lassen sich seitdem niemals mehr mit dem Wort Bukra abspeisen.«

# Mein Vater und sein Radio

Schon früh besaß mein Vater ein Radio. Obschon wir kaum gute Stühle für Gäste besaßen und aus einer einzigen Schüssel aßen, kaufte er für viel Geld das beste Radio im christlichen Viertel. Es war ein großer Holzkasten mit einem grünen magischen Auge vorne und einer bunten Glasscheibe, auf der geheimnisvolle Namen von fernen Städten zu lesen waren. Da buchstabierte ich zum ersten Mal: Paris, London, Marrakesch und andere magische Orte.

Als das Radio eines Tages plötzlich schwieg, trug mein Vater es zur Reparatur, und als er zurückkam, fluchte er über den Halsabschneider, der eine »Lampe« gewechselt und dafür soviel Geld verlangt hatte, wie Vater in zwei Tagen nicht verdiente. Die »Lampen« waren damals große, sogenannte Trioden, die eine Weile brauchten, bis sie warm wurden und das Radio in Gang brachten.

Vater hatte den Mann genau beobachtet und war deshalb um so verbitterter: »Lampe raus, Lampe rein. Das war alles!« sagte er zu uns. Er würde beim nächsten Mal das Radio selbst reparieren.

Das ließ auch nicht lange auf sich warten. Zwei Wochen später verstummte das Radio erneut. Vater schraubte die Rückenverkleidung ab, ortete eine Triode, die nicht warm wurde, und nahm sie heraus. Und ich erinnere mich genau daran, daß er während der ganzen Operation zärtlich auf das Radio einredete, als wäre es ein krankes Kind.

Vater eilte zum Markt und kehrte bald zurück. Vor den erstaunten Nachbarn steckte er die neue Triode in die dafür bestimmten Löcher und sprach beschwichtigend auf das Radio ein:

»Das haben wir gleich, mein Kleiner, gedulde dich ein bißchen.« Er atmete erleichtert auf, als das Radio laut und klar plärrte. Vater hatte nicht einmal ein Fünftel der Reparaturkosten bezahlt, und wir waren stolz auf ihn, denn die alten Nachbarn standen stumm auf unserer Terrasse und schauten meinem Vater zu, der ohne Furcht seinen Arm in den Bauch des Teufelsapparates steckte und lächelnd das Ding wieder zum Sprechen brachte. Ich erinnere mich heute noch genau daran, daß Tante Viktoria immer wieder leise »heiliges Kreuz Jesu Christi« flüsterte und besorgt auf Vaters Arm schaute, als erwartete sie, daß er bald leuchten oder von diesem Ungetüm abgebissen würde.

Übermütig, und um den Nachbarn noch mehr Kunststücke vorzuführen, nahm Vater mehrere Trioden heraus und polierte sie. »Die Stimme wird klarer«, sagte er und zeigte den dunklen Staubanstrich auf dem weißen Geschirrtuch, und das Radio sang wieder. Als er aber alles schon montiert hatte, blieben zwei Schräubchen und eine Schraubenmutter übrig, und Vater schüttelte verwundert den Kopf. Die Schrauben waren jedoch wie dafür geschaffen, zwei ewig wackligen Dingen in unserem Haus festen Halt zu geben: dem Griff der Bratpfanne und der Türklinke.

Bei der nächsten Reparatur, einen Monat später, blieben ein Röhrchen aus Kunststoff und ein Stück Draht übrig. Das Radio sang wieder, und wir bewunderten Vater sehr, denn das Röhrchen isolierte von da an das Kabel des Bügeleisens. Das Stück Draht konnte unser Nachbar Ismail gebrauchen, und er bedankte sich überschwenglich bei meinem Vater, denn genau so ein Stück Kupferdraht hatte er lange für seine elektrische Türklingel gesucht.

In einem halben Jahr gingen über sechs Trioden zugrunde. Vater reparierte die Schäden. Unser Radio sang, sprach Nachrichten und war zugleich Lieferant von Schrauben, Drähten und skurrilen Metallstückchen.

Plötzlich aber, an einem heißen Tag, schwieg das Radio und wollte nicht einmal sein grünes Auge aufschlagen. Vater schlug mit der Faust nur einmal kräftig auf den Kasten. »Was fehlt dir, du Hurensohn. Du lebst wie ein Sultan bei mir«, fluchte er. Das Radio öffnete sein magisches Auge, sprach und sang etwas stotternd und dann in voller Kraft. »Wenn man einer Ratte nur Kuchen gibt, wird sie krank«, philosophierte Vater, »man muß ihr nur ab und zu Dreck zum Fraß vorwerfen, dann wird sie gesund.«

Und ob man es glaubt oder nicht, das Radio wurde von nun an nicht mehr repariert. Ab und zu sehnte sich offensichtlich seine Rattenseele nach Flüchen und Fausthieben.

Dreimal hat man auf König Hussein von Jordanien geschossen, und weißt du, warum er nicht getroffen wurde?« Ich verneinte, da ich nicht einmal wußte, daß man auf König Hussein geschossen hatte, geschweige denn warum. Mein Vater knöpfte sein Hemd auf und zog eine kleine lederne Tasche, so groß wie eine Streichholzschachtel, hervor, die er mit einer Sicherheitsnadel am Unterhemd festgesteckt hatte.

»Weil er so einen Talisman trug«, sagte er und reichte mir den kleinen braunen Beutel. Der fühlte sich noch warm an und verbarg ein hartes, längliches Ding.

»Und was ist das?« fragte ich verwundert.

»Ein Stück des heiligen Kreuzes, ein echtes Stück davon!«

»Und woher hast du das?« fragte ich, da mein Vater nie im Leben so viel Geld für so etwas ausgeben konnte wie König Hussein. Er hatte ja nicht einmal genug, um nach Jerusalem zu fahren.

»Tja! Was denkst du denn, dein Vater hat so seine Beziehungen. Du solltest wissen, ein Händler ist unscheinbar, und da er auf leisen Sohlen geht, kommt er mit den wichtigsten Leuten in Berührung. Essen muß der Mensch, ob er ein Lump ist oder ein Prinz. Auf ein Radio oder einen Fernseher kann jeder verzichten, aber auf Essen nicht. Schlag dir also die blöde Schule aus dem Kopf. Lehrer! Rechtsanwalt! Pah! So ein Unsinn! Die stehen alle als Schuldner in meinem Buch!« Ich wußte genau, daß das kommen würde. Egal was mein Vater auch erzählte, ob es ein Witz war oder eine Geschichte, unweigerlich nahm er die Kurve und endete in einer Tirade gegen meine Schule.

»Und was hat das Stück vom Kreuz mit den Anschlägen auf Hussein zu tun?« fragte ich skeptisch, um ihn wieder auf ein anderes Gleis zu bringen.

»Kannst du dir das denn nicht vorstellen? Das kleine heilige Stück schützt seinen Träger vor jeder Waffe. Aus nicht einmal zwei Metern Entfernung schoß vor kurzem ein Attentäter auf den König, und was hat die Kugel gemacht? Sie flog geradeaus bis zur Brust von Hussein, dann machte sie einen Bogen und traf den Leibwächter hinter ihm. Das stand in der Zeitung! Glaubst du wirklich, Hussein hätte von ungefähr alle Herrscher in Arabien überlebt?«

Ich wollte meinen Vater mit meinen vielen Fragen nicht verärgern, deshalb wählte ich die harmloseste von allen.

»Und woher hast du das heilige Stück?«

Ich lag richtig mit meiner Vermutung. Mein Vater strahlte.

»Ein alter Franziskaner schenkte es mir als Anerkennung für meine Ehrlichkeit, bevor er nach Frankreich zurückkehrte. Nur wenige Leute in der Welt haben so ein Stück. Du sollst niemandem davon erzählen. Wenn ich alt werde, bekommst du es, und du gibst es dann weiter an deinen ältesten Sohn, so bleibt es in der Familie.«

»Aber meine Schwester Nadia ist doch drei Jahre älter als ich!«

»Frauen tragen so was nicht. Außerdem werden sie ja fremd, wenn sie heiraten«, war die knappe Antwort meines Vaters. Ich war irgendwie stolz darauf, daß mir mein Vater diese Ehre erwies, aber als ich den günstigen Augenblick seiner leutseligen Stimmung ausnutzen wollte, um zwei Lira für eine Schulreise von ihm zu verlangen, ließ er mich ärgerlich abblitzen. So erkannte ich meine Winzigkeit. Beim Geld hört das Geschwätz von der Ehre auf. Diese Weisheit hatte mir Onkel Salim schon so oft wiederholt, und an jenem Tag lernte ich sie lieben.

Meine Mutter ist sehr fromm, aber sie trägt keinen Talisman. Nicht, daß sie keine Feinde hätte, die ganze Familie meines Vaters hatte ihr schon vor Jahrzehnten den Krieg erklärt. Sie glaubt aber dennoch an keinen Talisman, ja, sie lacht über alle, die so etwas tragen. Nicht einmal Onkel Salim wird von ihrem Spott verschont, denn er trägt einen Talisman gegen den Neid. Als ich meiner Mutter von dem heiligen Stück erzählen wollte, begann sie gleich zu lachen.

»Erzähl das bloß den anderen nicht, damit sie dich nicht für einen Trottel halten«, lachte sie mich aus. Als sie dann aber sah, daß ich ziemlich beleidigt war, streichelte sie mir den Kopf und lächelte.

»Ärgere dich nicht, ich lache doch nicht über dich. Aber überlege mal, wenn all das Holz, das diese Typen am Unterhemd tragen, von dem heiligen Kreuz stammt, dann wurde Jesus nicht auf der Erde, sondern auf dem Mars gekreuzigt.«

»Wieso auf dem Mars?«

»Weil das Kreuz so riesig gewesen sein muß. Von hier bis zum Mars, so hoch wäre es gewesen«, erklärte sie mir und lachte. Meine Mutter hat nie irgend etwas über Astronomie gelernt, sie kann ja nicht einmal lesen. Aber alles Große reicht für sie »von hier bis zum Mars«.

Noch nie war der Winter in Damaskus so kalt gewesen wie in diesem Jahr, der Himmel schien alle Gebete der Bauern auf einmal erfüllen zu wollen. Noch nie hatte es so viel geregnet. Der Segen für die Bauern war jedoch ein Fluch für Damaskus. Der Regen spülte den Lehm aus den Dächern und Mauern und verschlammte die Straßen. Die Kanalisation unseres alten Viertels streikte, und als die Temperatur unter Null sank, platzten auch noch viele Wasserleitungen.

Abdu, der Schuster in unserer Straße, starb am Freitag. Im strömenden Regen trugen vier Männer seinen Sarg. Nur einige Nachbarn begleiteten seinen Trauerzug. Mir schien, als ob sie aus Dankbarkeit Abdu das letzte Geleit gaben, denn er war ein guter Schuster gewesen, der für wenig Geld die alten Schuhe immer wieder zu neuem Leben erweckt hatte. Die Frauen standen vor ihren Türen, bekreuzigten sich und schütteten Salzwasser auf den Boden, als der Beerdigungszug an ihnen vorbeizog. Salzwasser soll verhindern, daß die Seelen der Verstorbenen in der Nacht zurückkehren und jemand anderen holen, denn die Einsamkeit der ersten Nacht im Grab soll unerträglich sein. Das schien den Weiterlebenden ziemliche Angst einzujagen, als würde jeder damit rechnen, ewig zu leben.

Bei der Kreuzung am Ende unserer Straße drehten sich die Sargträger dreimal im Kreis, damit die Seele Abdus sich von der Straße verabschieden konnte, dann bewegte sich der Trauerzug mit langsamen Schritten auf den nahen Friedhof zu. Der Regen hatte plötzlich aufgehört, als hätten die Wolken Erbarmen mit den Trauernden. Hinter dem Trauerzug fuhren langsam die Busse, Motorräder und Taxen, und keiner der sonst so ungeduldigen Fahrer wagte es, auch nur ein einziges Mal zu hupen. »In Damaskus hat der Tod im Gegensatz zum Leben hohen Wert«, erklärte mir Onkel Salim grimmig, als ich ihn nach der mir unverständlichen Freundlichkeit der Fahrer fragte.

Durch den lang anhaltenden Regen waren die lehmigen Dächer aufgeweicht, das Wasser sickerte durch und tropfte in die Wohnungen. An mehreren Stellen leckte die Decke in unserem einzigen Zimmer, und da mein Vater wie alle Männer der Straße Angst hatte, auf das glitschige Dach zu steigen, um die Locher zu stopfen, blieb meiner Mutter nichts anderes übrig, als überall im Wohnzimmer Schüsseln, Töpfe und Eimer aufzustellen, um das tropfende Wasser abzufangen. Wenn meine Mutter nachts das Licht ausmachte, konnte ich oft lange nicht einschlafen. Ich kam mir vor wie der Bewohner einer Tropfsteinhöhle. Einige Schüler machten sich lustig über meine Mattheit morgens in der Schule. Sie hörten meine Erzählungen von der monoton tropfenden Decke an, als wäre sie ein Märchen aus Tausendundeiner Nacht. Sie wohnten alle im neuen Stadtgebiet, wo es bestimmt nie tropft – es soll dort auch nie nach Heizöl stinken.

Noch nie zuvor waren so viele Leute in meiner Straße krank wie in diesem Winter. Der kleine, dickliche Arzt Nasim hatte alle Hände voll zu tun. Er eilte von Haus zu

Haus, um nach den Kranken zu sehen. Auch Onkel Salim hatte es erwischt, zwei Tage nach dem Tod von Abdu. Er fieberte und phantasierte. Am dritten Tag holte seine Frau den Arzt. Ich ließ meine Matheaufgaben liegen und rannte zu meinem besten Freund. Er lag im Bett und murmelte, unentwegt zur Decke blickend, wirres Zeug von einem Sultan, der seine Frau aus dem Zimmer werfen will, weil er weiß, daß Salim nicht auf dem Löwen reiten kann.

»Hast du Salzwasser vor die Tür geschüttet?« fragte meine Mutter Salims Frau, und diese fing an zu heulen. Sie schneuzte sich in ihr verschmutztes Taschentuch und flüsterte: »Ich war doch nicht da, ich mußte einkaufen, und als ich zurückkam, war der Trauerzug schon auf dem Friedhof.«

Meine Mutter schnalzte bedauernd mit der Zunge und schaute voller Sorge auf Onkel Salim. Ich saß neben ihm und streichelte seine blasse Hand.

»Bist du da?« fragte er mich und lächelte.

»Ja, Onkel Salim, ich bin bei dir«, antwortete ich.

»Hilf mir doch, auf dem Löwen zu reiten, der Sultan wird fliehen, und der Löwe wird ihm den Arsch abbeißen.«

Ich lächelte ihn an, obwohl mir zum Heulen zumute war. Es war scheußlich für mich, diesen tapferen Mann so schwach zu sehen, er war eingeschrumpft, und sein Körper sah aus wie eine leblose, faltige Hülle.

Doktor Nasim trat leise wie immer ein, stellte seine Tasche auf den kleinen hölzernen Tisch, dann winkte er uns, wir sollten hinausgehen.

Nach einer Weile folgte er uns auf den Hof.

Meine Mutter bot ihm einen Stuhl an, und Doktor Nasim setzte sich zu uns. Meine älteste Schwester Nadia brachte Kaffee, und der ermüdete Mann lächelte dankbar und nahm die kleine Mokkatasse entgegen.

»Was ihm fehlt«, sagte der Arzt zu der alten Frau, die verlegen ihre Hände rieb, »ist nur etwas Kräftiges zu essen, dann kommt er wieder auf die Beine. Er braucht keine Medikamente. Nur kräftige Mahlzeiten.« Er stellte die leere

Tasse wieder auf das Tablett und griff in seine Tasche. »Hier, diese Vitamine kannst du ihm geben, dreimal am Tag.«

»Aber Herr Doktor, wir essen genug«, flüsterte die Frau von Salim beschämt.

»Ja, aber gekochte Weizengrütze und Hirse taugt nicht zum Gesundwerden. Onkel Salim braucht Fleisch und Gemüse.«

Die alte Frau nickte, als wären die Worte des Arztes ein schweres Urteil. Wir wußten, nur einmal im Monat konnte sie Fleisch kaufen.

»Hier, Herr Doktor«, rief sie, als der Arzt sich erhob. Sie knotete ein dunkles Tuch auf und glättete zusammengefaltete Lirascheine.

»Nicht nötig«, sagte der Doktor leise, denn er mochte Onkel Salim sehr. Er war einer der wenigen Ärzte, die unsere Straße hervorgebracht hatte, und der einzige, der auch blieb. Die anderen hatten uns als Versuchskaninchen benutzt, bis sie genug Erfahrung gesammelt hatten, und waren dann zu den Reichen gegangen. Nein, Doktor Nasim war zwar berühmt, aber er blieb bei uns. Wollte einer der Reichen von ihm behandelt werden, so mußte er hundert Lira auf den Tisch legen, von den Armen bekam er eine, zwei oder, wenn es hochkam, fünf Lira.

Nach zwei Wochen war Onkel Salim immer noch nicht auf den Beinen. Meine Mutter hatte sich mit den anderen Frauen zusammengetan und beschlossen, ohne den Männern ein Wort davon zu sagen, Onkel Salim einmal in der Woche Fleisch zu kaufen. Onkel Salim aber war viel zu stolz und faßte das Fleisch nicht an, obwohl die Frauen es sehr geschickt anstellten. Sie brachten das Essen und gaben vor, er solle seine Meinung über ihre Kochkunst sagen. Der alte Mann lehnte das jedoch entschieden ab.

Von nun an beschwor unsere Nachbarin Afifa die Frau von Onkel Salim fast täglich, zum Hellseher zu gehen, um ihn nach den Gründen der Erkrankung zu fragen. Afifa konnte ich nicht leiden. Sie redete so viel über ihre Familie, die früher einmal reich gewesen sein soll, und mit dieser Erinnerung und ein paar Brocken Französisch, die sie irgendwo aufgeschnappt hatte, quälte sie uns. Wir hatten nichts dergleichen zu erzählen. Afifa herrschte über ihren Mann, einen schüchternen Automechaniker, und erzog ihre Kinder zu widerlichen Angebern. Faris war das unerträglichste ihrer sieben Kinder, und ich prügelte mich mindestens einmal in der Woche mit ihm.

Afifa erzählte so oft von dem Hellseher, als wäre sie seine Angestellte und müßte Werbung für ihn machen. Angeblich sollte er seine Kunden so durchschauen, daß sie nichts zu erzählen brauchten. Er konnte ihnen Einzelheiten aus ihrem Leben nennen, die sie schon längst vergessen hatten, und zukünftige Ereignisse voraussagen, die dann allesamt auch eintraten.

Der Hellseher wohnte in einem kleinen Haus zwei Straßen weiter. Wenn man durch seine Haustür ging, kam man über einen Korridor in einen kleinen Hof, wo alte Korbstühle und Holzbänke aufgestellt waren. Das Haus hatte mich immer angezogen, wie alles Geheimnisvolle, aber ich hatte Angst vor dem Hellseher. Als Kind nahm ich oft all meinen Mut zusammen und ging zum Haus dieses Mannes. Ich stieß voller Neugier und mit Herzklopfen die schwere Haustür auf, aber mit jedem Schritt in den dunklen, tunnelartigen Korridor verflog mein Mut, und bis ich den Hof erreicht hatte, hatte ich weiche Knie. Im Hof saßen oft Frauen. Sie flüsterten miteinander oder saßen zusammengesunken in ihrer Ecke, eingehüllt in Wispern, das dem Hof zusätzlich eine unheimliche Atmosphäre verlieh.

In den Wochen, als Onkel Salim krank war, beherrschte Afifa unsere Gespräche. Sie erzählte immer wieder von den Wundern, die der Hellseher vorhergesagt hatte. Sie selbst verdanke ihm vieles. Ihr Mann habe sich nach ihrem dritten Kind von ihr abgewandt. Er sei immer später nach Hause gekommen, habe nicht mehr gelacht und ihr immer weniger Geld gegeben. Verzweifelt habe sie den Hellseher aufgesucht und ihn nach dem Grund gefragt. Er habe ihr gesagt, ihr Mann sei in eine junge Frau verliebt. Der Hellseher habe keinen Namen genannt – das tut er ja nie –, die Nebenbuhlerin aber genau beschrieben. Sie habe dann ihre beste Freundin verprügelt, die die ganzen Jahre so harmlos getan habe und hinter ihrem Mann hergewesen sei. Mit dem Gegenmittel, das der Hellseher ihr für lächerliche zehn Lira verkauft habe, habe sie ihren Mann von seinem bösen Rausch geheilt. Er sei eines Nachts aufgewacht und habe sie so wild geliebt wie in der Hochzeitsnacht, und seitdem sei er der bravste Ehemann der Straße. Natürlich kannte niemand die Freundin, aber sie schwor nach jedem zweiten Satz bei der Heiligen Jungfrau Maria, und die Zuhörer nickten nachdenklich.

Im Gegensatz zu meinem Vater, der den Hellseher für den größten Gauner und Scharlatan hielt, glaubte meine Mutter die Erzählungen von Afifa, vor allem aber die, die von der Heilung hoffnungslos erkrankter Kinder berichteten.

Alle Medikamente hatten nichts ausgerichtet, nur der Talisman des Hellsehers konnte gegen den bösen Blick helfen, und die Kinder sprangen nach kurzer Zeit wieder munter im Bett herum und wurden nie wieder krank.

Dienstag früh eilte Salims alte Frau zu dem Hellseher und kam erst gegen Mittag zurück. Was sie dort erfuhr, erzählte sie niemandem, und Afifa nahm die alte Frau in Schutz gegen die Neugier der Nachbarinnen.

»So etwas darf man nicht erzählen, denn sonst kehrt sich die Wirkung um«, sagte sie bestimmt. Als ich am nächsten Nachmittag zu meinem kranken Freund gehen durfte, roch das Zimmer stark nach Weihrauch.

Faris erzählte, daß die Frau von Onkel Salim den Hellseher gezwungen habe, den Zehn-Lira-Schein anzunehmen.

»Er wollte natürlich kein Geld«, erzählte dieser Angeber.

Doktor Nasim kam abends vorbei, und wir hörten im Hof, wie er tobte.

»Bist du verrückt geworden? Was soll das?! Rennt die Frau zu diesem Betrüger! Das ist doch die Höhe! Was ist das? Und das? Nicht zu glauben! So eine Dummheit! Nicht zu glauben!« hörten wir seine aufgeregte Stimme.

»Den bringe ich hinter Gitter! Eine arme Frau so um ihr Geld zu betrügen! So eine Unverschämtheit! Und sie geht auch noch freiwillig hin!« schrie er wutentbrannt, als er aus dem Zimmer herausstürmte. Afifa, meine Mutter und über zehn Kinder warteten gespannt auf seine Erklärung. Der Arzt setzte sich erschöpft von seinem Wutausbruch auf den Stuhl, prustete empört vor sich hin und wischte sich mit einem riesigen Taschentuch die Schweißtropfen von der Stirn. Dann zeigte er uns eine kleine lederne Tasche, wie die meines Vaters. Als die älteste Tochter von Afifa ihm eine Tasse Mokka anbot, winkte er zornig ab.

»Einfach unglaublich«, regte er sich wieder auf, und die Versammelten schauten neugierig auf das geheimnisvolle Ding, das er in seiner Hand hielt.

»Du läßt deinen Mann langsam sterben und hängst so einen Mist an seinen Hals?«

»Ich?!« schluchzte die alte Frau. »Lieber will ich tot umfallen, als daß Salim etwas zustößt!«

»Und warum hast du ihm die Vitamine nicht gegeben?«

»Aber der Hellseher hat doch gesagt: Was Salim fehlt, ist die Abwehr gegen die einsame Seele von Abdu, die nach ihm verlangt. Salim war ja einer seiner besten Freunde!«

»Was für ein Quatsch!« rief Nasim empört, nahm eine Schere aus seiner Tasche und schnitt das Ding auf.

»Mal sehen, was da für ein Mist drin ist.«

»Das gibt es doch nicht! Was macht er denn? Das darf man doch nicht!« stöhnte Afifa entsetzt.

Nasim hörte sie, obwohl sie ganz leise geseufzt hatte.

»Und ob ich das darf. Sieh mal zu, wie ich das mache, und ich sage dir im voraus, was drin ist: ein Scheißdreck!«

fuhr der Doktor sie wütend an. Mit spitzen Fingern pickte er ein Papierröllchen heraus.

»Na, Junge! Willst du uns vorlesen, was drin steht?« fragte er mich.

»Wieso ich?!« erschrak ich.

»Ich lese es«, rief der Angeber Faris, obwohl seine Mutter ihn verfluchte, nahm das Papier und rollte es auf. Es sah aus wie ein Zeitungsfetzen.

»Die feindliche Luftwaffe versuchte vergebens, unsere Stellungen auf den Golanhöhen anzugreifen. Unsere Helden leisteten aber einen solchen Widerstand, daß die Flugzeuge abdrehten und die Flucht ergriffen. Siebzehn Flugzeuge haben wir dem israelischen Feind abgeschossen. Zwei unserer Helden gaben ihr Leben für die Verteidigung...«

»Das genügt! Na, was ist das? Ein Fetzen von einer alten Zeitung, nicht einmal einen Piaster wert, und wieviel hast du diesem Gauner gegeben? Hm? Zwanzig, dreißig Lira, hm? Statt damit Fleisch zu kaufen. Was für eine bodenlose Dummheit!« Wütend schlug sich der Arzt mit der flachen Hand auf die Stirn. »Hirnverbrannt!«

Er stand kopfschüttelnd auf. »Also ich sage es dir zum letzten Mal, gut essen und drei Vitamintabletten am Tag, sonst komme ich nie wieder«, drohte er und verließ ohne Abschiedsgruß das Haus.

Die alte Frau saß da wie ein geschlagenes Kind.

»Ich tue doch alles für meinen Salim«, wisperte sie und schluchzte.

»Tja, diese modernen Menschen verstehen nichts vom Leben, sie lernen alles aus den Büchern«, keifte Afifa, und ich hätte sie am liebsten geohrfeigt.

»Eine ungläubige Frau hat einst einen Talisman geöffnet. Er fühlte sich so hart an, als würde er ein Stück Metall enthalten. Wißt ihr, was passiert ist, als sie ihn aufgemacht hat? Feuer sprudelte aus der Tasche und verbrannte ihr das Gesicht. Ja, wir haben ein Stück Zeitung gesehen, aber wer weiß, was es war, bevor dieser komische Arzt die heilige

Tasche aufgemacht hat. Diese Dinge dürfen nicht angesehen werden. Sie verwandeln sich in andere Dinge, sobald ein Ungläubiger die Tasche aufmacht. Kein Wunder, daß dieser Nasim hiergeblieben ist. Uns bleibt ja nur der Schrott.«

Alle nickten nachdenklich, auch meine Mutter.

Onkel Salim wurde langsam gesund, trotz des aufgeschnittenen Talismans, und als es wieder sonnig wurde und die Straßen trockneten, verließ er nach zwei Monaten das Bett und lachte, als ob er nie krank gewesen wäre.

Die Nachbarn rätselten lange, ob es der Hellseher oder Nasim gewesen war, der Onkel Salim geheilt hatte.

Als mein Vater mir beim Mittagessen sagte, sein Amulett gehöre nun endgültig mir, da ich ihm in den letzten Tagen in der Bäckerei geholfen hätte, lachte ich.

»Du solltest es meiner Schwester geben. Ich habe mein Amulett schon auf dem Mars bestellt.«

»Auf dem Mars? Warum?« wunderte sich mein Vater.

»Weil es das echte heilige Holz nur auf dem Mars gibt.«

Meine Mutter lachte laut, und als mein Vater besorgt fragte, ob ich Fieber hätte, lachte sie so laut, daß sie sich verschluckte.

## Nuh, mein Freund

*Nuh und seinem kurdischen Volk*

Ein Putsch bedeutet für uns Schüler drei bis fünf Tage schulfrei. Putsche gehen in Damaskus oft und schnell über die Bühne. Meist finden sie im Morgengrauen statt.

Wir im alten Viertel erfahren davon erst durch das Radio. Es wird plötzlich still, und dann folgt Marschmusik. Wir wissen dann, daß der Putsch erfolgreich war. Schießereien hören wir bei einem geglückten Putsch kaum. Wenn aber ein Putsch scheitert und die Kämpfe heftiger werden und länger dauern, dann hören wir das Rattern der Maschinengewehre und den dumpfen Aufschlag der Granaten.

Eine Weile spielt dann die Musik, und darauf folgen die Kommuniqués des neuen Regimes, die das alte Regime wegen allem beschuldigen, so als würden alle Putschisten voneinander abschreiben. Sie sagen grundsätzlich dasselbe: das alte Regime sei schuld an Korruption, Vetternwirtschaft und vor allem daran, daß Palästina noch nicht befreit sei. Das neue Regime verspricht: die Korruption an der Wurzel zu packen, Gerechtigkeit walten zu lassen und Palästina im Handumdrehen zu befreien. Onkel Salim erzählte mir, er habe beim ersten Putsch vor fünfzehn Jahren gejubelt und bis zum Morgen des nächsten Tages gefeiert und getrunken. Beim zweiten Putsch habe er nur geklatscht, und seit dem dritten Putsch lache er nur noch.

»Bei der Suche nach den Wurzeln der Korruption verfangen sich die neuen Machthaber im Gestrüpp dieser gewaltigen Schlingpflanze und vergiften sich an ihrem süßen Geschmack. Sie werden schnell alt, und so werden sie von neuen hungrigen Suchenden abgelöst«, meinte mein Vater vor ein paar Tagen, als eine neue Regierung unsanft die alte vertrieb.

»Das hast du gut gesagt... Ja, das süße Gift macht sie schnell alt... Das hast du gut gesagt«, lobte Onkel Salim ihn beim Teetrinken. Ich war stolz auf meinen Vater, denn Onkel Salim stimmt nur selten einem Erwachsenen zu.

»Und Palästina, wann wird es befreit?« fragte ich.

»Im Handumdrehen«, wiederholte Onkel Salim den Spruch aus dem Radio und lachte. »Amerika«, fuhr er fort, »wird in zwei Handumdrehen erledigt, Rußland in drei«, und er lachte. »Aber die Russen sind doch unsere Freunde, das sagen doch die im Radio immer«, widersprach ich.

»Was für ein Quatsch! Ein Herrscher, der eine solche Hand hat, braucht keine Freunde. Nur, in drei Monaten kommt eine neue Regierung und sagt, die alte hätte Palästina befreien können, wenn sie nicht mit der einen Hand uns am Hals gepackt und mit der anderen die Gelder in die Schweiz geschmuggelt hätte.«

Unser Geschichtslehrer ist im Gefängnis. Das erfuhren wir in der ersten Woche nach dem Putsch. Ein sympathischer Palästinenser, der witzig war und viel mehr als die Bücher erzählte, dafür viel weniger in der Prüfung verlangte. Ich glaubte nun nicht mehr, daß die Regierung im Handumdrehen Palästina befreien würde, denn ich spürte ihre gnadenlose Hand an meinem Hals.

Der neue Lehrer war ein ängstlicher Typ. Das ist nicht schlimm, denn die meisten Lehrer unserer Schule sind Angsthasen. Sie haben Angst, an eine Schule in »Sibirien« versetzt zu werden. Sibirien ist bei uns die Grenzregion zu Israel. Kein Lehrer will gerne dahin, und eine Stelle an der schlechtesten Schule in Damaskus ist immer noch besser als die beste Schule in Sibirien. Nein, es hat uns nicht gestört; wenn ein Lehrer ängstlich war, hatten wir Mitleid mit ihm, aber der neue Lehrer war widerlich. Nach der ersten Unterrichtsstunde wußte ich, daß wir keine Freunde werden würden. Er liebte Daten, und sein Unterricht wurde von Mal zu Mal langweiliger.

Wir hatten gerade die Omajjadendynastie von 661 bis 750 durchgenommen. Der Lehrer erzählte begeistert von den Taten der Omajjaden. Er schien nichts von Geographie zu halten, denn die Welt schmolz bei ihm zu Arabien und einigen mickrigen Staaten zusammen, die von der Gnade der Araber lebten, und er betonte, daß die Araber viele Länder geöffnet hätten. Beim Wort »Öffnung« schrie er laut, als wollte er uns seinen Stolz über die Eroberung klarmachen.

»Warum geöffnet und nicht besetzt? Waren die Länder denn abgeschlossen?« fragte Nuh, ein kurdischer Junge, der oft krank, aber ungeheuer mutig war.

»Sicher geöffnet, du Idiot. Sie wurden der arabischen Zivilisation geöffnet und aus der Barbarei befreit.«

»Dann haben die Osmanen uns vierhundert Jahre und die Franzosen fünfundzwanzig Jahre lang geöffnet«, machte sich Nuh wieder bemerkbar.

»Das ist Kolonialismus. Das ist etwas anderes.«

Wir lachten über den aufgeregten Lehrer, und Ismail rief aus der hinteren Bank:

»Also ich, ja? Ich will von niemandem geöffnet werden.«

Der Lehrer wurde zornig, er klopfte mit einem Lineal auf den Tisch.

»Was für eine Ehre wurde mir zuteil, vor einer so dämlichen Herde die ruhmreiche arabische Geschichte zu unterrichten.« Er wandte sich an Nuh und starrte ihn an.

»Du da, steh auf!« Nuh stand auf und blickte dem Lehrer in die Augen. Nie senkte er den Kopf, auch dann nicht, wenn der Leiter der Schule mit ihm sprach.

»Bist du eigentlich nicht stolz darauf, daß du Araber bist?«

»Nein!« antwortete Nuh bestimmt.

»Wie? Was?« zürnte der Lehrer und glotzte ihn mit aufgerissenen Augen an.

»Er ist doch Kurde«, flüsterten einige.

»Ja! Ich bin Kurde«, bestätigte er.

»Was bitte? Kurde? Das gibt es nicht! Setz dich!« brüllte der Lehrer.

Wir wußten schon, daß es in Syrien über dreihunderttausend Kurden gibt. Wir spielten oft mit Nuh und einigen seiner kurdischen Freunde. Sie erzählten uns vom Kampf der Partisanen, und wir wußten über Kurdistan besser Bescheid als über Marokko. Der Lehrer wußte nur von den Omajjaden, seinen Omajjaden, die die Welt in Staunen versetzt hatten. Später, als wir die Omajjaden hinter uns gebracht hatten, ließ der Lehrer seine ganze Wut an dem Gesindel aus, das dann die Macht übernahm. Nuh blieb monatelang ruhig, bis wir die Kreuzzüge durchnahmen. Die Schule gehörte der christlichen Gemeinde, und der Lehrer hatte große Mühe mit seiner Wortwahl. Er betonte, daß er als Muslim großen Respekt vor dem Christentum habe, aber die eingefallenen Horden aus Europa seien echte Schweine gewesen, die von Nächstenliebe nichts gewußt hätten. Die Christen aus Arabien hätten an vorderster Front dagegen gekämpft. Als er aber Saladin als den größten arabischen Feldherrn anpries, der den Europäern die Stirn geboten hatte, sprang Nuh wie von einer Tarantel gestochen auf. »Saladin ist aber Kurde gewesen«, rief er aufgebracht, und wir waren alle überrascht. Das hatten wir nicht gewußt. Das Grab Saladins ist zwar in Damaskus, aber in keinem Buch steht nur ein einziger Buchstabe darüber, daß er Kurde war. Saladin muß tatsächlich den Europäern eins auf die Fresse gegeben haben, so daß der führende General der französischen Armee, die Damaskus siebenhundert Jahre nach dem Tod Saladins eroberte, als erstes am Grab von Saladin laut gerufen hatte:

»Wir sind wieder da.«

Das erzählen alle alten Leute sogar heute noch.

»Saladin war ein tapferer Muslim. Er verteidigte das Arabertum, und deshalb ist er in seinem Herzen Araber gewesen.« Das war schwach.

Ismail rief: »Dann bin ich Marlon Brando.«

Wir lachten, denn wir wußten, daß Ismail Marlon Brando abgöttisch verehrte. Er ging nicht nur in jeden seiner Filme, er kaufte auch alle Bilder von ihm.

Nuh bekam die schlechteste Note im Mai. Seitdem sprach er nur noch wenig im Unterricht.

Anfang Juni fehlte er zwei Wochen.

»Wo ist denn unser angeblicher Kurde?« fragte der Geschichtslehrer hämisch und sank noch tiefer in den Augen der Schüler, denn wir wußten, daß Nuh sehr krank war.

Am Nachmittag half ich meinem Vater in der Bäckerei ein paar Stunden, schnappte mir heimlich einen Kuchen und eilte zu meinem Freund. Das Slumviertel am östlichen Rand der Stadt ist noch ärmlicher als unser Viertel. Dort leben die verarmten Bauern, die der Hunger aus ihren Dörfern vertrieben hat. Sie kamen auf der Suche nach Arbeit nach Damaskus. Sie bauten ihre Behausungen aus Lehm, Wellblech und Holz, und die Regierungen drückten ein Auge zu. Alle Regierungen erklären die Behausungen für illegal, doch die Bewohner kümmern sich nicht darum. Sie haben keine andere Wahl. Die neue Regierung versprach, menschliche Wohnungen für die Bewohner zu schaffen, aber das hatte auch schon der vorherige Machthaber versprochen.

Die Gassen schlängeln sich zwischen den niedrigen, meist einstöckigen Hütten. Überall liegt Abfall auf der Straße, und die Kinder tollen noch lauter herum als bei uns. Ich fragte ein barfüßiges Kind nach der Hütte von Nuh, und es rannte mir kichernd voraus.

Die Tür war wie viele in diesem Viertel aus dem Sperrholz alter Transportkisten gebaut. Ich klopfte an, und ein wunderschönes Mädchen machte die Tür auf.

»Ein Freund von Nuh«, rief sie auf arabisch in das Wohnungsinnere, hielt die Tür einen Spalt auf und lächelte mir verlegen zu.

»Komm herein, Junge«, forderte mich ein großer Mann freundlich auf, der die Tür aufriß. Er streckte mir die Hand entgegen und tadelte das errötende Mädchen auf kurdisch. Ein einziges großes Zimmer war der dunkle Raum hinter der Tür. Matratzen stapelten sich in der einen Ecke bis zur Decke. Die Mutter von Nuh lächelte und begrüßte mich.

Der große Mann, ein Onkel von Nuh, übersetzte den Gruß der Mutter. Unbeholfen gab ich ihr mein Mitbringsel und schaute mich nach Nuh um. Er lag in der Ecke auf einer Matratze, neben ihm saß ein alter Mann. Das war sein Großvater, wie ich später erfahren habe.

»Was machst du für Sachen?« fragte ich und drückte Nuhs fiebernde Hand. Er lächelte müde.

»Du hast dich bemüht wegen mir?«

»Hör doch auf! Ich besuche dich gerne. Die anderen wollten auch kommen, da sagte ich mir, ich beeile mich, daß ich auch etwas von dem Kuchen abkriege. Wenn Isam kommt, bleibt nichts übrig.«

Nuh lachte bei der Erinnerung an den Klassendrescher Isam. Der Onkel übersetzte der Mutter, die nur ein paar arabische Wörter verstand, was wir redeten, und sie lachte. Es wurde draußen dunkel. Die Mutter stand auf und zündete eine Öllampe an.

»Warum das? Habt ihr etwa keinen Strom?« staunte ich, da ich elektrische Birnen von der Decke baumeln sah.

»Die neue Regierung, Gott soll sie strafen, hat den Strom abgestellt, damit wir abhauen«, erklärte der alte Mann wütend auf Hocharabisch.

»Was hast du denn eigentlich?« fragte ich Nuh.

»Ach, nur eine blöde Grippe«, antwortete Nuh und hustete kurz.

Die Mutter erkundigte sich bei ihrem Bruder, und er übersetzte es für sie. Sie begann erregt auf ihn einzureden, und er sagte mir dann, daß Nuh einen Herzfehler habe. Ich wußte bis dahin nicht, was das ist.

»Quatsch, Herzfehler! Der Arzt hat einen Fehler im Kopf. Ich bin so gesund wie ein Pferd«, wehrte Nuh ab und hustete wieder. Die Mutter schaute ihn traurig und besorgt an, dann stand sie auf und verschwand hinter einem Vorhang, der die Kochecke vom Zimmer trennte.

»Opa, erzähl meinem Freund eine Geschichte. Er hört gerne alte Dinge.«

»Ich kann doch nicht so gut Arabisch sprechen, warum kann dein Freund denn kein Kurdisch?«

»Er ist doch Araber!«

»Ja und? Können Araber kein Kurdisch lernen? Sie lernen doch auch Französisch und Englisch...«, der alte Mann winkte mit der Hand ab, »bald wirst auch du kein Kurdisch mehr können.«

Seine Stimme klang so verbittert wie die Stimme meiner Mutter, wenn sie mir vorwirft, daß ich ihre Sprache nicht kann. Sie spricht Aramäisch. Eine alte Sprache, die nur noch die Bewohner von ein paar Dörfern sprechen. Diese alte Sprache soll Jesus gesprochen haben. Auch Onkel Salim kann Aramäisch. Er sagte einmal, als er betrunken war, die Römer hätten Jesus nicht deshalb gekreuzigt, weil er gesagt hatte, er sei der Sohn Gottes, denn sie hatten viele Götter, und einer mehr oder weniger machte ihnen nichts aus. Die Römer waren nicht kleinlich, aber sie hätten Jesus gekreuzigt, weil er es auf Aramäisch gesagt hatte.

Nuh verdrehte die Augen und schwieg eine Weile.

»Na gut«, sagte er plötzlich, »erzähl auf kurdisch, und ich übersetze für meinen Freund.«

Sein Großvater erzählte, und Nuh übersetzte, aber nur ein paar Sätze, dann fing er an zu husten. Ich bat ihn aufzuhören, weil es zu anstrengend für ihn sei und mir keinen Spaß mehr machte.

Es war sehr spät, als Nuhs Vater von der Arbeit kam. Er wusch sich, während die Mutter den Gemüsetopf auf ein breites Tuch mitten ins Zimmer stellte. Ich wollte gehen, aber Nuh ließ mich nicht.

»Nicht bevor du Brot und Salz mit uns geteilt hast«, bekräftigte sein Vater, und ich aß gerne, neben Nuh sitzend.

Nach drei Tagen wollte ich mit Isam, Ismail und einigen anderen aus unserer Klasse Nuh besuchen. Da schlug am frühen Morgen die Nachricht wie eine Bombe in der Schule ein, Nuh sei nach einer Herzoperation gestorben!

Der Physiklehrer erlaubte uns, am Nachmittag zur Beerdigung zu gehen, die auf denselben Tag angesetzt war, aber nur wenige haben mich begleitet. So sterben die Armen in meiner Stadt, lautlos. Meine Mutter sagt, vom Tod der Armen und der Zuhälterei der Reichen erfährt kein Mensch etwas.

Es war sehr traurig. Die Mutter heulte vor der Tür, und viele Männer sprachen auf den blassen Vater ein, der sich an den Sarg krallte, als wollte er Nuh behalten. Seine Hände sahen grau wie die Erde aus und waren mit tiefen Furchen übersät.

Ich sah den Großvater abseits stehen, die Tränen liefen über sein unrasiertes Gesicht. Ich eilte zu ihm, als der Sarg mit Nuh aus dem Zimmer gebracht wurde. Ich konnte meine Trauer nicht verbergen, und als ich die verhornte Hand des Großvaters packte, fing ich an zu weinen. Er schaute mich an, dann drückte er mich fest an sich und küßte mich auf den Kopf.

»Nuh hat dich sehr geliebt«, flüsterte er mir zu.

Ich weinte bitter.

Dieser Hurensohn von Geschichtslehrer hat ihm das Herz gebrochen, dachte ich plötzlich. Ich werde es auf die Tafel schreiben: In dieser Klasse lebte der Kurde Nuh. Auf den Mauern der Schule und auf den Stämmen der Bäume im Schulhof, überall wird es zu lesen sein.

»Opa, bringst du mir Kurdisch bei?« bat ich den Großvater auf dem Rückweg.

»Gerne, wenn du willst.«

Ich wollte, denn das war die Sprache von Nuh.

»Napoleon wurde 1769 geboren. 1785 war er Leutnant der Artillerie, 1786 schon Brigadegeneral. Innerhalb von neun Jahren stieg er von einem kleinen Offizier zu einem bedeutenden General auf. Unser Staatspräsident hat acht Jahre gebraucht, um mit dreißig der jüngste Feldmarschall aller Zeiten zu werden. 1786 heiratete Napoleon Josephine, die ihn bis zur Scheidung 1809 täglich betrog, 1796 war er Oberbefehlshaber der französischen Armee in Italien. 1799 übernahm er die Macht in Frankreich. 1802 ernannte er sich zum Konsul auf Lebenszeit. 1804 krönte er sich zum Kaiser, 1810 heiratete er die österreichische Kaisertochter Marie-Louise und...«

»Halt! Ich komme nicht mit! Soll das Geschichte sein oder Mathematik? Was sollen wir mit den Zahlen machen? Addieren oder multiplizieren?« rief ich laut; die Jungen in meiner Klasse lachten, und der kleine Geschichtslehrer schaute mich entsetzt an.

»Geschichte ist Zahlen!« sagte er, sich entschuldigend. »Ich habe die ganze Nacht gebraucht, um sie für euch auswendig zu lernen«, fügte er mit verzweifelter Stimme hinzu.

»Tut mir leid! Mein Opa erzählt schönere Geschichten«, rief ich laut zurück, und die Schüler bogen sich vor Lachen.

»Du unterbrichst den Unterricht, um von deinem Opa zu erzählen? Bist du noch zu retten?« empörte sich jetzt der Lehrer.

»Mein Opa ist mir näher als Napoleon!« antwortete ich, lehnte mich zurück und legte die Füße auf mein Schreibpult, so wie ich das am Tag zuvor in einem Western gesehen hatte. Einige Schüler fühlten sich ermutigt und folgten meinem Beispiel.

»Ist doch wahr. Es ist zum Kotzen mit all den Königen,

Kaisern und Sultanen, warum nennt ihr das Geschichte? Das ist doch der Familientratsch von einigen wenigen«, rief Sami laut.

Sami versteht viel von Politik. Seine Familie ist auf alle Parteien verteilt, die Hälfte im Gefängnis, die andere Hälfte an der Regierung.

»Zahlen! Zahlen!« brüllte Ismail. »Vor lauter Zahlen weiß ich nicht mal, ob Frankreich eine Republik ist oder noch ein Königreich!«

»Mich machen die Zahlen impotent!« gab Nabil aus der hintersten Reihe seinen Kummer bekannt, und wir lachten laut.

»Bitte«, flehte der Lehrer, »ihr müßt Verständnis für mich aufbringen. Wenn der Schulleiter jetzt vorbeischaut, bin ich erledigt!« Er schaute beunruhigt auf die kleinen Fenster in der Klassentür.

»Dann überkleben Sie sie doch«, rief ich wütend. Ich habe nichts mehr gehaßt als diese kleinen Fensterchen, die im neuen Schuljahr überall in den Türen angebracht worden waren. Sie sahen wie zwei quadratische Augen aus. Sie waren auch die heimlichen Augen, die uns verunsicherten. Wenn wir hinter dem Rücken unseres Lehrers einen Streich ausheckten, konnte uns der neue Schulleiter heimtückisch erwischen, denn er schlich leise über den Korridor und stand beobachtend hinter unserem Rücken.

Die Fenster nahmen uns einen beträchtlichen Teil unseres Mutes.

Wieder schaute der Lehrer ängstlich zur Tür.

»Das darf ich nicht, es ist doch die neue Ordnung!«

»Ordnung?« rief ich. »Das ist Spionage. Warum haben die Türen des Direktorenzimmers keine Augen? Wir wollen da auch mal reinschauen!«

»Das geht doch nicht! Der Herr Direktor würde zu so etwas nie seine Zustimmung geben«, wisperte der Lehrer.

»Natürlich nicht. Das erschreckt ihn, wenn er auf der Lehrerin Maria liegt«, rief Nabil.

»Ach, das wißt ihr?« entfuhr es dem Lehrer.

»Das ist praktische Soziologie!« ereiferte sich Nabil, und wir lachten.

Die Glocke erlöste den Lehrer. Die Geschichtsstunde war zu Ende, danach hatten wir Biologie. Der Biologielehrer verspätete sich wie immer.

»Bravo! Du bist ein Held«, rief Isam, der Stärkste in unserer Klasse, und kam zu mir nach vorne.

»Ich dachte immer, du wärst ein Schlappschwanz, aber heute! Alle Achtung!« gratulierte mir der Koloß und schüttelte mir die Hand. Das war mir zuviel Ehre, und fast hätte ich geheult. Jeder von uns hatte mindestens einmal mit seinen Fäusten zu tun gehabt. Ich gab mich nie geschlagen, und jedes Jahr bekam ich deshalb von ihm meine Portion und wählte ihn für ein weiteres Jahr zum Unüberwindlichen.

»Das war doch gar nichts«, sagte ich angeberisch und spürte, wie mir das Blut in die Ohren stieg. Diesen Satz hatte ich seit vier Jahren vorbereitet.

Der Bioboxer, so nannten wir den Biolehrer, trat krachend in die Klasse. Dieser Mann schien nie richtig gelernt zu haben, durch eine Tür zu gehen. Er stieß wie immer mit der Schulter gegen die Tür und ging dann seitlich wie ein Krebs hindurch, als wollte er uns unbedingt die Breite seiner Schultern vorführen.

Biologie ist an sich eine schöne Sache, aber nicht bei diesem Trottel.

»Hat noch jemand Fragen?« sagte er immer kurz vor dem Ende des Unterrichts. Kein Schüler wagte es, seinen Finger zu heben.

Ein einziges Mal bin ich auf seine Frage reingefallen.

»Ja, Herr Lehrer«, sagte ich damals, »ich habe die Mendelsche Regel nicht verstanden, können Sie sie mir an einem Beispiel erklären?«

»Sehr schön«, sagte der Bioboxer, »komm nach vorne und schreibe deine Frage ganz deutlich an die Tafel.«

Ich ging an die Tafel, nahm ein Stück Kreide und schrieb die Worte der Mendelschen Regel. Ich war noch nicht fertig, als er losbrüllte:

»Schön hast du das geschrieben. Mal sehen, ob du meine Fragen auch so gut schreiben kannst.«

Ich war verdutzt und verstand gar nicht, was er wollte, aber er schrie gleich weiter: »Schreibe mal...«, und er diktierte mir drei Fragen aus dem vergangenen Unterricht. Ich wußte natürlich keine Antwort.

»Und du willst kluge Fragen stellen? Du hast doch gar keine Ahnung von Biologie. Zurück auf deinen Platz!«

Ich kehrte zurück und war beschämt. Ismail und Georg passierte das gleiche, und seitdem haben wir keine Fragen mehr. Auch für die Klausur taten wir nichts, denn Nabil hatte entdeckt, daß dieser Lehrer unsere Arbeiten überhaupt nicht korrigierte. Er maß bloß die Länge des Geschriebenen und gab für eine halbe Seite eine Drei, eine volle Seite bekam eine Zwei und zwei volle Seiten eine Eins. Wir glaubten Nabil zuerst nicht, aber er wettete um ein Eis, daß er in der nächsten Klausur eine Eins bekommen würde, ohne eine einzige Frage zu beantworten. Ismail nahm die Wette an, und wir beneideten ihn um seinen leichten Gewinn. Aber wir hatten uns gewaltig geirrt. Nach der Klausur verlas der Lehrer die Noten, und Nabil ging erhobenen Hauptes nach vorne, holte seine vollen Seiten ab und strahlte auf dem Rückweg über seine Eins.

»Du zahlst«, flüsterte er höhnisch, als er an Ismail vorbeiging. Wir warteten ungeduldig auf die Pause, um das Geschriebene zu kontrollieren, denn wir glaubten, Nabil hätte heimlich gelernt und richtig geantwortet, aber auch darin hatten wir uns geirrt. Nabil hatte es tatsächlich gewagt, nach etwa fünf Zeilen Biologie ausführlich den Besuch seiner Tante zu schildern – zwei volle Seiten lang –, und hatte die Klausur dann mit denselben Zeilen beendet, mit denen er begonnen hatte.

»Sehr gut, weiter so!«, stand in roter Farbe auf dem Papier. Wir lachten über Ismail und über die Worte »Weiter so!«, da die Tante, wie Nabil berichtet hatte, stundenlang über ihre Tochter jammerte, die auf die schiefe Bahn geraten war und sich auf den Abgrund zubewegte.

»Guten Morgen, ihr Schläfer«, rief der Bioboxer an jenem denkwürdigen Tag und rammte die linke Türhälfte.

»Wir wollen uns heute, nachdem wir die Entwicklungsgeschichte der Lebewesen abgeschlossen haben, mit dem menschlichen Körper beschäftigen...«

»Entschuldigen Sie bitte. Sie haben in der letzten Stunde etwas über Darwin erzählt, warum haben Sie den Unterricht mit dem Satz »Inschallah« abgeschlossen?« fragte ich.

Der Lehrer wollte nichts hören und schlug sein Buch auf.

»Der Religionslehrer ist viel eindeutiger als Sie. Er läßt Ihnen ausrichten, Sie könnten ihm mit Ihrem Darwin den Buckel runterrutschen. Was sagen Sie dazu?«

»Komm hierher und schreibe diese Frage an die Tafel«, sagte der Lehrer routiniert.

»Wieso? Sind Sie taub? Ich frage Sie doch, ob Herr Darwin oder die Bibel recht hat.«

Der Beifall der Klasse überrollte den Lehrer. Er zitterte richtig. Ich fühlte mich stark wie noch nie.

»Und wenn die Bibel recht hat, dann brauchen Sie sich hier doch nicht mehr blicken zu lassen, nicht?«

»Bravo! Recht hat er! So ist es!« brüllte Ismail, und wir lachten.

»Jawohl. Ich habe auch die Nase voll davon, immer von meiner blöden Tante zu erzählen«, rief Nabil, und wir lachten.

»Von deiner Tante?« stotterte der Lehrer und hielt sich am Tisch fest, als ob ihm schwindlig geworden wäre.

»Jawohl, ich habe es auch satt, seit drei Klausuren erzähle ich nur noch von dem kranken Hammel meines Vaters«, brüllte Ismail.

»Feuer oder Wasser. Sie müssen sich entscheiden«, sagte ich und stand fordernd vor meiner Schulbank.

»Feuer oder Wasser. Geht es denn nicht zusammen?« flehte der Lehrer.

»Nie«, antwortete ich entschlossen.

»Jetzt können nur noch die Fäuste entscheiden, wer der Gewinner ist«, rief Isam plötzlich. Ich sah ihn erstaunt an, wie war er bloß darauf gekommen. Der Lehrer strahlte erleichtert, zog seine Jacke aus und krempelte die Ärmel seines Hemdes hoch.

»Ja, boxen sollst du«, rief Isam, und grinste merkwürdig.

»Aber...« wollte ich widersprechen, da bekam ich schon den ersten Haken verpaßt und fiel rückwärts und sah dabei, wie Isam sich freute. Wie konnte ich bloß vergessen, daß er keinen zweiten Helden in der Klasse duldete? Ich rappelte mich auf und ballte die Fäuste, da bekam ich wieder einen Haken und fiel, tiefer und immer tiefer...

»Guten Morgen«, lächelte meine Mutter, »du hast um dich geschlagen, hast du einen schlechten Traum gehabt?«

Ich schüttelte den Kopf und flüsterte: »Der Tag wird kommen...«

Nein! Ich werde weder den Tauben noch den Blinden spielen! Verrückt werde ich sein, wenn sie im nächsten Jahr bei der Musterung zum Militär prüfen wollen, ob ich tauglich bin. Ich hasse den Krieg. Ich bekomme immer Angst, wenn die syrischen Jagdbomber tief über die Stadt Damaskus fliegen, um uns Mut zu machen. Meine Mutter haßt den Krieg noch viel mehr als ich, sie hat einen Bruder verloren, den letzten von dreien. Die beiden ersten wollten ein paar Jahre in Amerika arbeiten und dann wie die Könige im Dorf herumstolzieren, doch sie kehrten nie wieder zurück.

In der Schule war es komisch. Wenn ich mit meinen Mitschülern unter vier Augen sprach, sagte jeder von ihnen, daß er den Krieg verabscheute, aber wenn die Schulleitung einen Demonstrationsmarsch verordnete, schienen die Schüler sich über den freien Tag zu freuen. Mancher sprang nach vorne und rief so laut, als wollte er am liebsten geradeaus an die Front gehen und allein Palästina befreien. Meine Mutter sagte, wenn man die Jubelnden beim Wort nähme, ihnen eine Waffe in die Hand drückte und sagte: Nun geh und befreie Palästina, dann würden die Palästinenser allein dastehen. Die anderen würden sagen: Tut mir leid, ich bin zu beschäftigt, habe Kinder und bin sowieso dienstuntauglich.

Ich fragte Onkel Salim, wie ich mich denn am besten vor dem Militärdienst drücken könnte. Ihn konnte ich danach fragen, weil er auch keinen Dienst geleistet hatte. Er schämte sich auch nie deswegen, im Gegenteil, er protzte immer damit, vier Jahre auf der Flucht vor der Armee in den Bergen verbracht zu haben.

»Heute prüfen sie die Tauglichkeit der jungen Männer mit ihren Teufelsgeräten. Aber auch ohne Geräte haben die Militärs zu meiner Zeit alle erwischt, die so taten, als könnten sie keinen Dienst mit der Waffe leisten. Nur gerissene Füchse konnten vor der Kommission die Prüfung bestehen.«

»Wie denn?« fragte ich neugierig, weil ich von einer solchen Prüfung noch nichts gehört hatte.

»Man muß starke Nerven haben, muß behaupten, man tauge nicht für die Armee, und muß vor der brutalen Kommission alle Prüfungen bestehen. Natürlich lohnt es sich, eine halbe Stunde lang die Nerven zu behalten und nicht auf ihre Tricks hereinzufallen. Man spart mehrere Jahre blödsinnigen Militärdienst. Die Kommission weiß das natürlich, und sie weiß auch, wenn sie nicht brutal vorgeht, wird die Hälfte der Bevölkerung sich blind stellen und die andere Hälfte taub. Die, die freiwillig für einen Staat sterben wollen, der ihnen Hiebe statt Brot gibt, Gefängnisse statt Schulen baut, sind tatsächlich Idioten, mit denen die Militärs nichts anfangen können.«

»Was habt ihr damals gemacht?« fragte ich Onkel Salim. »Hast du dich taub und stumm gestellt?«

»Viele arme Teufel versuchten es mit Hautkrankheiten. Sie rieben sich mit irgendwelchen Giftpflanzen ein, bis sie rot waren wie Krebse und ihre Haut eiterte, aber die Kommission ließ sie in den Kerker werfen, bis ihre Haut heilte und ihre Seele erkrankte. Manch anderer war ehrlicher und erzählte von seinem Gewissen, das ihm verbieten würde, auf andere zu schießen. Den schickte die Kommission an die Front und sagte ihm, er brauche auf niemanden zu schießen, er solle sich erschießen lassen, damit seine Kameraden den Sieg davontragen könnten. So würde er seinem Gewissen und dem Vaterland einen Dienst erweisen. Und Stummheit? Stummheit wird gar nicht zur Prüfung zugelassen, denn ein stummer Soldat ist ein guter Soldat.«

»Ja, was bleibt einem denn dann übrig?«

»Nur Blindheit und Taubheit machen den größten Koloß für die Armee untauglich.«

»Du hast doch keinen Militärdienst geleistet. Hast du vorm Krieg Angst gehabt?«

»Angst? Salim und Angst? Freund, ich habe nicht einmal Angst vor einem Löwen! Aber warum soll ich jemanden umbringen, den ich nicht kenne, für jemanden, den ich gut kenne und dem ich am liebsten den Hals umdrehen würde? Nein! Ich habe keine Angst vor dem Tod. Vier Jahre bin ich in den Bergen geblieben. Einen Suchtrupp nach dem anderen habe ich verrückt gemacht. Ich war allein, aber ich kannte die Berge wie meine Westentasche, und die Soldaten verirrten sich hinter mir, bis sie alt und grau wurden.«

»Aber warum? Warum hast du dich nicht blind gestellt?«

Onkel Salim lachte kurz, dann schüttelte er den Kopf und murmelte leise vor sich hin. Er zog immer wieder an seiner Wasserpfeife und blies den Rauch langsam aus seinen Nasenlöchern durch den ergrauten Schnurrbart. Onkel Salim tut dies oft, wenn er eine unangenehme Erinnerung hat. Ich habe gelernt, in solchen Fällen einfach ruhig abzuwarten, bis der alte Mann seinen Schmerz überwunden hat, denn dann erzählt er von alleine.

»Ja«, sagte er nach einer Weile leise, als würde er unter dem Gewicht seiner Erinnerung leiden. »Ich habe erst gedacht, ich werde mich blind stellen, aber das ist schwer. Ich habe es zu Hause versucht, doch konnte ich nicht einfach einen Hocker übersehen und so kopfüber stolpern, als hätte ich ihn nicht bemerkt. Drei Tage lang habe ich geübt, bis ich es fertigbrachte, über Stühle und Menschen zu stolpern, aber dann wollte ich, daß mein Freund, der Metzger Ali, mich prüft. Er kam zu mir und lachte sich halb tot über meine Vorbereitung, denn als er mit der Hand vor meinen Augen wedelte, zuckte ich mit den Wimpern. Die ganze Schauspielerei umsonst. Mein Freund riet mir auch davon ab, denn bei der Militärkommission, das hatte er erfahren, wetzen sie ein scharfes Messer vor deinen Augen, und darauf fallen alle rein. Einen wahren Heldenmut muß man haben, um nicht mit der Wimper zu zucken, wenn einer plötzlich mit einem scharfen Messer so auf dich losgeht, als wollte er dir die Augen ausstechen. Nein, da blieb mir nur noch Taubheit. Man kann sich taub stellen, oder?«

»Sicher, Onkel. Frage meine Mutter. Sie hält mich schon jetzt für taub«, scherzte ich.

Onkel Salim lachte.

»Aber mein junger Freund, die Kommission besteht nicht aus Müttern. Wenn sie aus Müttern bestehen würde, wären alle Jugendlichen für dienstuntauglich erklärt; aber in der Kommission waren zu unserer Zeit lauter unzufriedene Offiziere. Brutal und kalt. Das wußte ich schon, deshalb bereitete ich mich auf alle möglichen Tricks vor und überzeugte meinen Freund, daß ich fest im Sattel saß. Mit dieser Gewißheit bin ich zur Musterung gegangen, aber meine Knie wurden immer weicher, je näher ich der Musterungsstelle kam. An der Tür stand ein Soldat. Ich meldete mich zur Musterung. Es waren nicht viele andere da, vielleicht drei oder vier vor mir. Als ich dann an die Reihe kam, klopfte ich an die Tür des großen Raumes. Ein Wachposten öffnete die Tür und ließ mich herein. Drei Unteroffiziere saßen gedrängt an einem Tisch. Ein älterer Offizier saß an einem Schreibtisch aus schönem Nußbaumholz. Er schien einige Rangstufen höher zu sein. Ich marschierte mit ziemlichem Herzklopfen in die Mitte des Raumes, dann blieb ich stehen.

›Name!‹ bellte einer der Unteroffiziere.

Ich antwortete nicht, sondern blickte in die Gegend, als hätte der Offizier zu jemand anderem gesprochen.

›Hörst du nicht, du blöder Hund?‹ rief er laut, als ich ihn endlich ansah. Ich kochte vor Wut, aber ich hab diesen Zuhälter angelächelt, als hätte er mir einen guten Morgen gewünscht.

›Bist du taub? Ich hab dich nach deinem Namen gefragt!‹ Das war der erste Trick. Ein Nicken genügt, und du bist durchgefallen. Ich bin starr stehengeblieben und hab den Offizier weiter angestarrt.

›Ach! Da steht es‹, rief einer der anderen, als er in meiner Akte gewühlt hatte. Ich hatte ja Wochen davor schon den

Antrag auf Befreiung vom Dienst wegen Taubheit eingereicht.

›Der Kerl behauptet, er sei taub‹, ergänzte er und fragte lachend, ob ich taub oder schwerhörig sei. Auch diesen zweiten Trick habe ich niedergeschmettert. Ich blieb völlig kalt. ›Das tun sie doch alle, diese Hurensöhne, bloß damit sie sich vor dem Dienst drücken können‹, schimpfte der ranghöhere Offizier.

Also weißt du, was ich gemacht hätte, wenn einer auf der Straße meine Mutter eine Hure geschimpft hätte? Ich hätte ihm sofort mein Messer in die Rippen gestoßen als Erinnerung, daß man Mütter nie als Huren bezeichnet, selbst wenn sie tatsächlich durch Hurerei das Brot für ihre Kinder verdienen müssen. Nein! Ich blieb starr, als wäre ich ein Eisblock. Der Offizier stand auf und kam auf mich zu. Er lächelte auf einmal gütig.

›Sage mir, mein Sohn, willst du vom Dienst befreit werden?‹ flüsterte er mir zu. Beinah hätte ich genickt, aber ich habe dann doch schnell kapiert, was dieser Fuchs im Schilde führte. Ich ließ ihn einfach gütig weiterflüstern und sagte ab und zu:

›Mein Name ist Salim. Mein Vater? Er ist schon gestorben. Nein, ich bin nicht verheiratet. Jawohl, Herr Offizier!‹

Langsam wurde er wieder zornig.

›Ja, hast du denn kein Rückgrat? Der Islam ist bedroht, und du willst dich von deiner heiligen Pflicht befreien?‹

›Er ist doch Christ!‹ unterbrach ihn ein Unteroffizier höflich.

›Aha! Da haben wir es!‹ rief der Offizier aus, als ob er die Erlösung für seine Seele bekommen hätte. Ich habe nie gedacht, daß ich den Krieg hasse, weil ich ein Christ bin. Ich hasse ihn, weil ich ein Mensch bin, und es ist mir scheißegal, ob der Islam oder das Christentum bedroht ist.

›Das ist eine Verschwörung!‹ schrie der Offizier jetzt wie am Spieß. ›In letzter Zeit stellen sich so viele Christen blind und taub.‹

Plötzlich hörte ich, wie sich einer hinter mich schlich, dann hielt er still. Auf einmal klimperte es hinter mir, als wären aus seiner Tasche einige Geldmünzen gefallen. Ich hab mich aber nicht umgedreht, denn darauf war ich gefaßt. Sie lassen Geldstücke auf den Boden fallen, und welcher arme Teufel wird sich nicht danach bücken?

›Ich glaube wirklich, er ist taub‹, rief einer der Unteroffiziere. Ich hab erleichtert aufgeatmet.

›Nun gut, komm mal her, mein Sohn, und nimm deine Papiere, du bist entlassen‹, murmelte der Offizier von seinem Platz hinter dem eleganten Tisch und tat so, als wäre er schon mit den Unterlagen von einem anderen beschäftigt.

Ha, aber nicht mit mir! Den Trick kannte ich auch, die letzte Falle! Nachdem du dich entspannt hast, kommst du zu schnell aus deiner Reserve. Nein, nicht mit Salim! ›Der Mann ist nicht nur taub, er ist verblödet‹, rief der Offizier verzweifelt, dann winkte er mit der Hand, daß ich zu ihm kommen sollte.

›So, du kannst gehen, feiger Hund‹, sagte er und winkte ab, ich sollte verschwinden.

›Ich danke dir, Herr Offizier‹, sagte ich und ging. Aber ich hatte noch nicht einen Schritt auf den Wächter zugemacht, als ich den Offizier flüstern hörte:

›Wenn er dich erreicht, schlag ihm mit deiner Faust ins Gesicht. Dieser Schweinefresser soll das als Erinnerung mit nach Hause nehmen.‹

Ich schritt auf den Wächter zu, und als ich ihn erreichte, war ich äußerst angespannt, um mein Gesicht in dem Augenblick zu schützen, wenn der Wächter seine Hand hochheben würde. Da holte er schon aus, und ich riß beide Hände hoch, um mein Gesicht zu schützen. Aber der Schlag kam nicht, statt dessen hörte ich das Gelächter der Offiziere. Ich nahm die Hände vom Gesicht und sah, daß der Wächter sich überhaupt nicht bewegt hatte.

›Armer Teufel, sie haben dich reingelegt. Beinah wärst du durchgekommen‹, flüsterte der Soldat mir mitleidig zu.

Ich war voller Zorn. Wie ein Löwe fing ich an zu brüllen und stürmte auf das große Fenster hinter dem Offizier zu. Mit einem Satz war ich durch das Fenster gesprungen. Ich hörte noch, wie jemand schrie:

›Haltet ihn, haltet den Verrückten‹, aber da war ich auch schon durch den Garten gestürmt und blieb danach vier Jahre in den Bergen.«

Seit Onkel Salim mir seine Geschichte erzählt hat, bereite ich mich ganz genau auf meinen Musterungstag vor.

»Name?« wird mich der Unteroffizier fragen.

»Rentner«, werde ich laut antworten.

»Wohnort?« wird der verblödete Unteroffizier fragen, der die erste Antwort sorgfältig aufgeschrieben hat.

»Honolulu«, werde ich antworten. Wer weiß, vielleicht ist er gar nicht so blöd und tut nur so.

»Beruf?« wird er fragen, nachdem er die letzte Antwort allen Ernstes aufgeschrieben hat.

»Fliegenmelker«, antworte ich dann.

Aber was ist, wenn er alles glaubt?

Verrückt zu sein, ist gar nicht so einfach.

PIPER

**Alessandro Baricco**
***Seide***

Roman. Aus dem Italienischen von Karin Krieger.
132 Seiten. Geb.

»Ich wollte eine Geschichte schreiben wie weiße Musik, eine Geschichte, die klingt wie die Stille.«
Alessandro Baricco, in Italien schon seit Jahren gefeierter Literaturstar, präsentiert sich erstmals dem deutschen Publikum mit einer poetisch-zarten Parabel auf die Liebe: Sie ist leicht und elegant wie ein Seidenschal auf den Schultern einer schönen Frau.

»Der Roman Alessandro Bariccos ist gewebt, wie der Stoff, um den es geht: elegant und nahezu gewichtslos. Die Geschichte ist komponiert wie ein Musikstück, jedes Wort scheint mit Bedacht gewählt, jede Ausschmückung, jedes überflüssige Wort ist fortgelassen. Das schmale Buch bekommt durch diese Reduktion seine außergewöhnliche Dichte, seine kühle, in manchen Passagen spöttische, zugleich seltsam melancholische Stimmung.«
*Sabine Schmidt, BücherPick*